Villages sur les routes de

COMPOSTELLE

Villages sur les routes de

COMPOSTELLE

EDITIONS ATLAS

Édité par :
Éditions Glénat
© Éditions Atlas, MMIV-MMVII
© Éditions Glénat, pour l'adaptation, MMIX

Services éditoriaux et commerciaux :
Éditions Glénat – 31-33 rue Ernest Renan
92130 Issy-les-Moulineaux

Cet ouvrage est une édition partielle de l'encyclopédie « Au cœur des villages de France » publiée
par les Éditions Atlas, œuvre collective à laquelle ont contribué Aude de Tocqueville, Jean-Baptiste Rendu,
Directeurs de collection. Bérengère Allaire de Rivoire, Sophie Bogrow, Pierre Chavot, Marie-Brite Dubois,
Sandrine Gallotta, Sophie Giagnoni, Lionel Hertault, Francis Lecompte, Caroline Lesage, Susan McCrann,
Valentine Palfrey, Morgan Pasotti, Augustin Pillet, Jean-Baptiste Rendu, Jean-Philippe Renouard, Ejvind Sandelin,
Patrick de Sinety, Aude de Tocqueville, Catherine Zerdoun, Auteurs.

Tous droits réservés pour tous pays
Achevé d'imprimer en avril 2009,
par Grafos S.A. - Sector C, Carrer D36
08040 Barcelona

Dépôt légal : avril 2009
ISBN : 978-2-7234-6976-0

INTRODUCTION

À partir du Moyen Âge, des milliers d'hommes et de femmes venus de l'Europe entière convergent vers Saint-Jacques-de-Compostelle, en Galice, pour aller vénérer le tombeau de l'évangélisateur de l'Espagne. En ces temps d'insécurité et de violence, ils ont tant besoin de cette Église qui dispense secours et consolation !

La France se couvre alors de sanctuaires, édifiés sur les quatre routes principales menant à Compostelle, celles de Tours, du Puy, de Vézelay et d'Arles, mais aussi sur les chemins convergeant vers ces voies principales. Grâce à la manne que représente la foule des pèlerins, les villages connaissent un extraordinaire développement artistique et architectural. Les plus chanceux possèdent une relique – ces morceaux d'os de saints feront d'ailleurs l'objet d'un véritable commerce – leur permettant de devenir une étape prestigieuse que les pèlerins ne sauraient manquer.

Aujourd'hui encore, des hommes et des femmes traversent la France en suivant ces voies de pèlerinage, mettant leurs pas dans ceux qui les ont précédés. Défi sportif, leur voyage devient bien souvent une aventure spirituelle. Ils s'émerveillent devant les vastes basiliques et les humbles chapelles, nées de cette fièvre constructrice médiévale, et découvrent des villages dont la beauté défie le temps. Les mêmes qu'admiraient déjà leurs prédécesseurs…

Aude de Tocqueville

SOMMAIRE

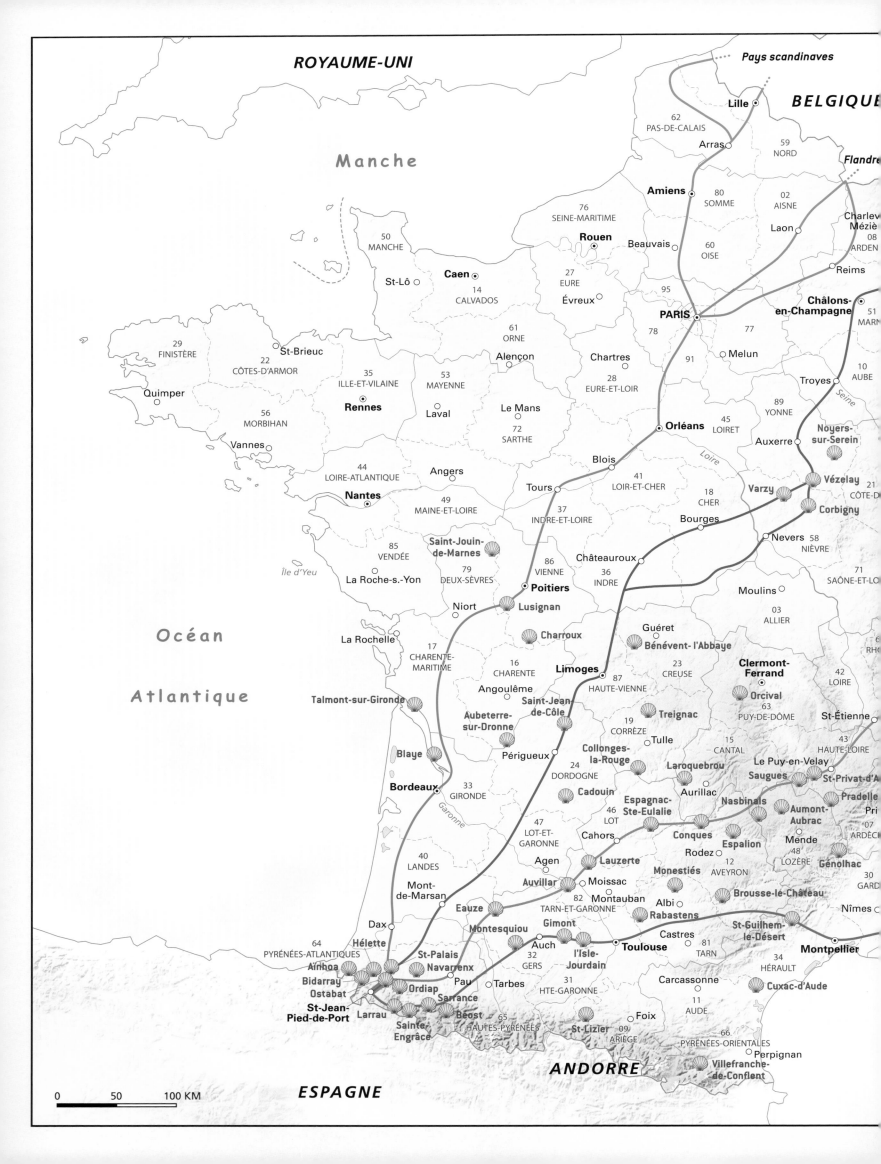

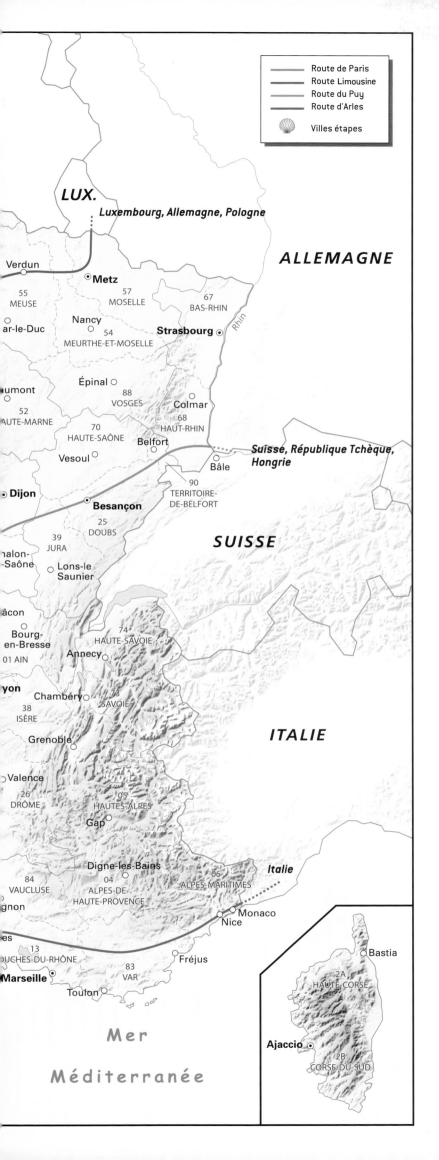

LUX.

Luxembourg, Allemagne, Pologne

ALLEMAGNE

Verdun

●Metz

55
MEUSE

57
MOSELLE

67
BAS-RHIN

Nancy

Strasbourg ●

Rhin

ar-le-Duc

54
MEURTHE-ET-MOSELLE

Épinal

88
VOSGES

Colmar

68
HAUT-RHIN

umont

52
AUTE-MARNE

70
HAUTE-SAÔNE

Belfort

*Suisse, République Tchèque,
Hongrie*

Vesoul

Bâle

●Dijon

90
TERRITOIRE-
DE-BELFORT

●Besançon

SUISSE

25
DOUBS

39
JURA

halon-
-Saône

Lons-le-
Saunier

âcon

Bourg-
en-Bresse

74
HAUTE-SAVOIE

01 AIN

Annecy

yon

Chambéry

73
SAVOIE

ITALIE

38
ISÈRE

Grenoble

Valence

05
HAUTES-ALPES

26
DRÔME

Gap

Digne-les-Bains

06
ALPES-MARITIMES

Italie

84
VAUCLUSE

04
ALPES-DE-
HAUTE-PROVENCE

gnon

Monaco

Nice

es

13
UCHES-DU-RHÔNE

Fréjus

Bastia

83
VAR

2A
HAUTE-CORSE

Marseille

Toulon

Mer

Ajaccio ●

Méditerranée

2B
CORSE-DU-SUD

ROUTE DE PARIS

Aïnhoa

Village bastide, Aïnhoa dresse ses maisons blanchies à la chaux entre la vallée de la Nive et la frontière franco-espagnole. L'originalité de son architecture, la beauté de son environnement naturel, sa tradition gastronomique en font l'un des villages les plus séduisants du Labourd.

Ci-dessus : les maisons blanches aux volets bruns sont souvent dotées de lorios, vastes porches qui ouvraient autrefois sur des remises. Ces porches ont parfois conservé des anneaux d'attache pour les mules, souvenirs de l'époque où Aïnhoa était une étape pour les muletiers qui se rendaient en Espagne.

14

La vie du village

Promenades
Aïnhoa possède un superbe environnement naturel. Soixante-cinq kilomètres ont été aménagés en sentiers de randonnées balisés permettant de découvrir les vieux lavoirs, la cabane forestière, les nombreuses sources et ruisseaux, sans oublier les pottok et autres vaches sauvages.

Une clameur s'élève lorsqu'une voix puissante annonce la marque : la partie est âprement disputée ! À Aïnhoa, la vie estivale se concentre autour de la place principale où les promeneurs assistent à une partie de pelote basque. Le soir venu, les volets colorés des maisonnettes se referment – jusqu'au lendemain – sur le souvenir de ces talentueux pelotaris qui font la gloire du « pays ».

SUR LA ROUTE DE SAINT-JACQUES

Au XIIᵉ siècle, les moines de l'ordre des Prémontrés établissent sur le site actuel d'Aïnhoa une bastide destinée à accueillir les pèlerins sur le chemin, long et souvent douloureux, qui les mène jusqu'à Saint-Jacques-de-Compostelle. Quatre cents ans plus tard, des maisons typiques de l'architecture labourdine (à colombages) sont venues remplacer les bâtiments existants, formant – au pied du mont Atsulaï – un village qui s'étend aujourd'hui encore le long d'une rue unique.

Témoins de ces temps anciens, de gros anneaux auxquels les marchands de passage accrochaient leur monture ornent les porches de certaines maisons. À mi-chemin de cette

« Etxea », la maison traditionnelle basque

Typiques des régions basque et labourdine, les maisons d'Aïnhoa abritent leurs murs blanchis à la chaux sous un toit à double pente couvert de tuiles foncées. Les façades s'égayent du rouge ou du vert des volets et des fins colombages en chêne. Cafés, échoppes d'artisanat et commerces de produits du terroir occupent le rez-de-chaussée de ces maisons, sans dénaturer l'attrait architectural du village.

rue, la chaussée s'élargit en une place au milieu de laquelle l'église dresse son clocher octogonal. Le lundi de Pentecôte, les quelque 600 habitants d'Aïnhoa s'y rassemblent, les femmes dans la nef, les hommes sur les deux balcons intérieurs. Après l'office, la foule quitte l'édifice au son des chants basques, pour effectuer en procession un Chemin de Croix de quatorze étapes qui les mènera vers la Chapelle de l'Aubépine, située à deux kilomètres de là sur un des nombreux lieux d'apparition de la Vierge.

RETROUVAILLES AUTOUR DU FRONTON

Adossé à l'église, le fronton est le lieu de toutes les retrouvailles. Tout au long de l'été, on y assiste à des démonstrations de pelote. Ce sport compte plus de vingt disciplines, mais ici, comme dans tout le Pays Basque, le jeu à main nue a ses supporters ! La fête patronale, qui s'articule sur cinq jours autour du 15 août, donne prétexte aux parties les plus acharnées. Les pelotaris ne délaissent le fronton que pour offrir leur terrain aux gaillards du pays venus disputer les ancestraux jeux de force basques : bûcherons, tireurs de corde et leveurs de pierre s'affrontent dans une ambiance absolument délirante.

15

Ci-dessus : la rue bastide d'Aïnhoa date du XVIIᵉ siècle. Elle est typique du village avec ses pimpantes maisons à colombages.

Ci-contre : haut lieu d'Aïnhoa, l'église domine l'unique rue du bourg. Elle possède un fronton sur lequel les pelotaris s'entraînent à la pelote et où ont lieu parfois des danses basques.

Une « croix » symbolique

Ne manquez pas d'aller visiter le cimetière d'Aïnhoa : vous découvrirez sur les stèles funéraires éparses dans l'herbe un étrange motif gravé dans la pierre. En forme d'hélice de bateau, ce sont des « croix basques », symboles solaires qui sont aujourd'hui l'emblème du Pays Basque.

À LA DÉCOUVERTE D'AÏNHOA

En partant de l'extrémité nord de son unique rue, vous passerez devant Ithurria, un « must » de la cuisine labourdine. Au centre de l'artère, l'église et le fronton font face à l'Oppoca, dont le salon de thé propose un savoureux gâteau basque. Au bout du village, la route mène deux kilomètres plus loin à la Chapelle de l'Aubépine, et à ses vingt-six stèles discoïdales et tabulaires, symbole de l'art funéraire basque.

Village pratique

Habitants : Les Aïnhoars.
Informations touristiques :
Maison du patrimoine Ondarearen Etxea.
64250 Aïnhoa
Tél. : 05 59 29 93 99
E-mail : tourisme-ainhoa@orange.fr

Comment s'y rendre ?
• D 918 puis D 20 depuis Cambo-les-Bains ou Espelette.
• A 10 Paris/Bordeaux, Bordeaux/Bayonne par A 63 puis D 932 jusqu'à Espelette.
• A 63 Toulouse/Bayonne.
• Ligne TGV Paris/Bayonne/Biarritz/Saint Jean-de-Luz/Hendaye.
• Gare SNCF : Cambo-les-Bains.
• Aéroport : Biarritz-Anglet-Bayonne.

Que rapporter ?
• Des salaisons.
• Du pain d'épice.
• Des piments d'Espelette.

Que voir dans les environs ?
• La vallée de la Nive, vue exceptionnelle sur les Pyrénées.
• Les ventas ou bazars de Dantxarinea, à l'arrière de la frontière, vente de produits espagnols.
• La maison d'Edmond Rostand à Cambo-les-Bains, musée consacré au père de Cyrano de Bergerac.

Autour du village

Aubeterre-sur-Dronne

Ancienne place forte, Aubeterre s'étage dans un amphithéâtre naturel
au-dessus de la verdoyante vallée de la Dronne. Accrochées à une falaise blanche,
ses maisons à balcons de bois bordent les ruelles en pente, dominées par un château.

Ci-dessus : du château, qui fut possession des seigneurs d'Aubeterre, puis des Bouchard et enfin des Esparbès de Lussan, subsistent l'enceinte, la poterne (XIVe s.), le corps de garde (XVe s.), une tour et la chapelle du XVIIe siècle.

Ci-dessus : le couvent des Minimes fut fondé en 1621 par François d'Esparbès de Lussan, maréchal de France, et par son épouse, Hippolyte Bouchard, qui lui avait apporté en dot la seigneurie d'Aubeterre.

« Il vit arriver en cette ville d'Aubeterre plusieurs bandes et compagnies de gens de guerre avec enseignes et tambourins de la nouvelle secte et religion que l'on appelle huguenots ; à leur arrivée, ils se mirent à rompre les croix, les églises, autels, images et autres parements ; en ladite église Saint-Jacques, ils rompirent et brisèrent tout le chœur… »

UN PARFUM MÉRIDIONAL

Seule la belle façade de l'église Saint-Jacques survécut à cette attaque de 1562, décrite par un témoin de l'époque. Reconstruit au XVIIe siècle, l'ancien édifice roman a conservé les arcades et les arcatures finement sculptées autour du portail représentant les travaux des mois, les signes du zodiaque et des motifs géométriques de style hispano-mauresque. Tradition-nellement, on pense que cet ornement fut inspiré par le passage à Aubeterre des pèlerins de Saint-Jacques-de-Compostelle, lesquels auraient influencé l'ensemble de l'architecture du village qui dégage un vrai parfum méridional, inattendu en Charente. La végétation luxuriante qui envahit les balcons et les jardinets des maisons en cascade, débordant par endroits dans le lacis des ruelles, contribue à renforcer cet agréable sentiment d'exotisme.

Les trésors d'Aubeterre

Outre la façade romane de l'église Saint-Jacques et la chapelle des Minimes, Aubeterre possède un musée des marionnettes, place Trarieux, tenu par un anglais qui organise des spectacles en été. Enfin, un sentier pédestre dans le village permet à tous de découvrir le charme des venelles.

La vie du village

Les métiers d'art
De nombreux artisans vivent dans cette charmante petite cité de quelque quatre cents habitants. Trois potiers y sont installés. Leurs boutiques-ateliers avoisinent celles de créateurs d'objets de cuir, de bois précieux, de peinture sur porcelaine, de couture ou de verre soufflé.

L'ÉGLISE SOUTERRAINE

La très mystérieuse église souterraine, taillée dans le roc dès le XIᵉ siècle pour abriter les reliques rapportées de Jérusalem par les croisés, participe à la magie ambiante d'Aubeterre. Creusée dans le coteau calcaire, sous le château, cette « sombre vastité », comme la décrit Montaigne, est le plus grand sanctuaire de ce type en Europe. L'église souterraine, dédiée à saint Jean et reliée au château par des galeries creusées dans la falaise, servit d'église paroissiale jusqu'à la Révolution. En 1958, une vaste nécropole contenant quatre-vingts sarcophages fut mise au jour au sud de la nef. Aujourd'hui, on se rassemble dans la « grotte » durant les soirées d'été pour assister au festival des Nuits musicales d'Aubeterre. Le programme de concerts de musique du monde, de musique classique ou de chorales, est alors mis en valeur par l'acoustique exceptionnelle de ce lieu remarquable dont il n'existe en France que deux autres exemples : l'un à Saint-Émilion, en Gironde, l'autre à Gurat, en Charente.

Ci-dessus à gauche : l'atelier du puits perdu (rue Saint-Jacques) propose des céramiques, des poteries en terre à usage culinaire et des objets insolites.

À droite : l'église souterraine mesure 27 m de hauteur et 16 m de largeur. Elle se compose d'une abside, d'une nef, longée dans sa partie supérieure par un triforium, et d'un bas-côté, séparé de la nef par deux colonnes. Au centre de l'abside s'élève un monument hexagonal haut de 6 m composé de deux étages, qui servait de reliquaire.

Un air d'opérette

La rue Barbecane donne sur une pittoresque place classée, dédiée au couple mythique de l'opérette française Paulette Merval et Marcel Merkès. Romantique à souhait avec son lavoir cerné de maisons fleuries aux balcons de bois, la place évoque le décor de L'Auberge du cheval blanc ou d'une des nombreuses opérettes qu'interpréta le célèbre duo sur la scène du théâtre Mogador, à Paris.

À LA DÉCOUVERTE D'AUBETERRE-SUR-DRONNE

Partez de la place Ludovic-Trarieux (dédiée au fondateur de la Ligue des droits de l'homme), près du château du XIVᵉ siècle (privé), et empruntez la rue Saint-Jean jusqu'à l'église souterraine. Retournez vers le chemin des Douves pour aboutir à la ville haute. La

chapelle et le cloître, restaurés en 1995, du couvent des minimes (aujourd'hui maison de retraite) sont libres d'accès. Rendez-vous à l'église Saint-Jacques, puis revenez vers la place Trarieux par la rue Saint-Jacques, où vous découvrirez un point de vue sur le château. Empruntez la très jolie rue Barbecane, puis continuez vers le pont dans la direction de la route de Ribérac et de la base nautique.

Le château de Montmoreau-Saint-Cybard fut reconstruit à la fin du XVᵉ siècle par la famille Rochechouart sur l'emplacement du repaire des sires de Montmoreau. En avant de l'édifice, flanqué de deux tours rondes et accosté au sud d'une tour hexagonale, subsiste une chapelle romane (XIᵉ s.) composée d'une courte nef aboutissant à une rotonde couverte d'une coupole et flanquée de trois absidioles.

Village pratique

Habitants : Les Aubeterriens.
Informations touristiques :
Office de tourisme du pays d'Aubeterre,
place du Château,
16390 Aubeterre-sur-Dronne.
Tél. : 05 45 98 57 18.
E-mail : aubeterre-tourisme@wanadoo. fr
Site internet : aubeterresurdronne.free.fr

Comment s'y rendre ?
• À 48 km au sud d'Angoulême par la D 674 jusqu'à Montmoreau, puis par la D 10.
• Gare : Chalais.

Que rapporter ?
• Du pineau des Charentes et du foie gras.
• De la poterie des ateliers Xavier Maffre, José Gisors ou du Puits Perdu.

Autour du village

Bidarray

Dans un paysage mouvementé sur lequel planent les grands vautours fauves,
Bidarray, dont les maisons blanches s'éparpillent au-dessus de la vallée de la Nive, fut autrefois
une dépendance de l'abbaye de Roncevaux. Il lui en reste un joli pont et une charmante église.

Ci-dessus : la Nive et le Bastan serpentent au pied du plateau de l'Iparla, longeant fermes et bergeries qui émaillent la commune. Le Vieux Pont -baptisé Noblia- date du XIVe siècle. À cette époque, il permettait aux pèlerins en route vers Compostelle de franchir la Nive.

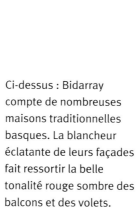

Ci-dessus : Bidarray compte de nombreuses maisons traditionnelles basques. La blancheur éclatante de leurs façades fait ressortir la belle tonalité rouge sombre des balcons et des volets.

Qui a construit à Bidarray le pont Noblia, avec ses deux arches gothiques encadrant une troisième, en plein cintre, qui forme en se reflétant sur l'eau calme un cercle si parfait ? Tous les Basques vous le diront : ce sont les laminak, ces petits génies féminins qui peuplent les sources, les rivières et les grottes. C'est à eux, toujours prêts à rendre service, que l'on doit bien des constructions. Mais ces petits lutins ne terminent jamais tout à fait leur ouvrage. En cherchant bien, on s'aperçoit en effet qu'il manque deux pierres à l'édifice…

SUR LA ROUTE DE COMPOSTELLE

On confond souvent le pont Noblia, vestige du XIVe siècle, avec le pont d'Enfer, d'où le diable désespéré se jeta après s'être efforcé en vain d'apprendre le basque… Celui-ci,

C-dessus : le « cimetière jardin » de l'église de l'Assomption mérite une visite. Il doit son intérêt aux superbes croix navarraises, parfois de forme discoïdale, qui le parsèment.

rustique passerelle de pierre jetée sur le torrent Bastan, se trouve à l'écart du village, à l'ouest. Mais l'ancien relais de poste qui fait face au vrai pont, devenu hôtel de charme, en a pris le nom et entretient la méprise. Au Moyen Âge, les pèlerins en route pour Saint-Jacques franchissaient la rivière et négociaient la rude montée pour rejoindre là une commanderie-prieuré, dépendant de l'abbaye de Roncevaux. L'église de l'Assomption, bâtie au XIIᵉ siècle (agrandie successivement aux XVIIᵉ et XIXᵉ siècles) en est l'unique souvenir. Son mur-clocher qui rappelle un fronton de pelote et son porche aux superbes chapiteaux romans sculptés sont précédés d'un parvis dallé décoré aux armes de Roncevaux, tandis qu'autour de son chevet s'alignent les superbes croix navarraises ou discoïdales d'un cimetière-jardin en terrasses.

FERMES ET BERGERIES

Le village lui-même, dont le nom signifierait « chemin dans les épineux », est plutôt un éparpillement de fermes et de bergeries traditionnelles dont beaucoup remontent au XVIIᵉ siècle. Mille fois reblanchies à la chaux, soulignées d'un long balcon où l'on séchait naguère le grain, elles sont rehaussées aux ouvertures d'encadrements de grès rose où le propriétaire a gravé sa « signature ». Au milieu trônent l'inévitable fronton de pelote et la salle de trinquet (jeu de paume). Autour du petit plateau au pied duquel se rejoignent la Nive et le Bastan, les collines émaillées de bergeries isolées sont les premiers vallonnements des crêtes de l'Iparla (1 044 m), un but de randonnée très classique. Entre l'Iparla et son voisin l'Artamendi (la montagne de l'Ours, 926 m), on peut découvrir, sur la frontière espagnole, des cromlechs préhistoriques et, plus bas, les vestiges d'un village de chercheurs

La vie du village

Randonnée
Étape très fréquentée de la grande traversée des Pyrénées grâce au GR 10, Bidarray offre aux randonneurs un superbe itinéraire sur les crêtes frontalières de l'Iparla, en compagnie des moutons, des chèvres et des pottoks. Le village est aussi une base pour d'autres loisirs sportifs : escalade, rafting…

Les miracles du « Saint-qui-Sue »

En amont de la vallée du Bastan, la grotte d'Harpéko Saindua s'ouvre au flanc d'une falaise abrupte. On y accède par un escalier malaisé, pour découvrir au fond d'une étroite galerie une stalagmite dont la haute silhouette (1,10 m) semble vaguement humaine. C'est le « Saint qui Sue », réputé guérir eczémas et conjonctivites. Les nombreux ex-voto déposés à l'entrée – jouets, mouchoirs, chaussures d'enfants – témoignent de l'actualité de ce culte ancestral.

23

Au bonheur des pottoks

Petit cheval noir et sauvage des Pyrénées, le pottok avait presque disparu dans les années 1990. Une perte d'autant plus funeste qu'il joue un rôle important dans le débroussaillage des montagnes, donc dans la prévention des incendies. À Bidarray, sur le versant nord de la Nive, une réserve naturelle avait été créée à son intention, où l'on protégeait les derniers spécimens. Sa fermeture en 2005 est une bonne nouvelle : la race semble sauvée et le troupeau a recouvré la liberté.

d'or. Ne dit-on pas que les seuls fabuleux gisements du val de Nive permirent au Carthaginois Hannibal de financer sa fameuse expédition vers Rome ?

À LA DÉCOUVERTE DE BIDARRAY

On accède à Bidarray par la D 918, qui file au fond de la vallée de la Nive, ou par le petit train de Saint-Jean-Pied-de-Port, qui suit le même trajet et s'arrête à Pont Noblia. Passé le pont, le chemin de l'Église grimpe dur sur la rive droite, contournant en demi-cercle une butte riveraine très abrupte. Au bout du village, la route fait une fourche, dont chaque branche correspond à une direction, est ou ouest, du GR 10 : là commence le domaine des randonneurs.

Ci-desous : au cœur du Labourd, le petit village d'Espelette déploie entre mer et montagne ses maisons traditionnelles à colombages. S'il reste réputé pour son piment, il doit aussi sa notoriété à son église du XVIIe siècle, l'un des plus belles du pays basque avec son clocher-donjon et ses galeries intérieurs à trois étages.

Village pratique

Habitants : Les Bidarraitars.
Informations touristiques :
Office de tourisme, chemin de l'Église, 64780 Bidarray. Tél. : 05 59 37 74 60.

Comment s'y rendre ?
• À 35 km au sud-est de Bayonne par la N 263, puis la D 932 vers Cambo-les-Bains, et enfin la D 918.
• Gares : Bidarray, Biarritz (TGV).

Que rapporter ?
• De remarquables gâteaux basques (près de l'église).
• Des truites, des saumons et des anguilles fumés.

Autour du village

BLAYE

Posée comme un promontoire au-dessus de la Gironde, la citadelle de Vauban fait partie intégrante du bourg de Blaye et veille sur les vignobles alentour. Cette véritable ville dans la ville, l'un des plus beaux témoins de l'architecture militaire du XVIIe siècle, a été classée en 2008 sur la liste du Patrimoine mondial de l'UNESCO.

Ci-contre : le couvent des Minimes fut fondé au début du XVIIe siècle par Jean-Paul d'Esparbès de Lussan, alors gouverneur de Blaye et sénéchal d'Agenais.

Avant l'Entente cordiale

La France et l'Angleterre ont longtemps bataillé pour posséder Blaye, qui verrouillait l'entrée de Bordeaux. Sous les Plantagenêts, le bourg s'est grandement enrichi, et c'est vers Londres que partaient les bouteilles du Blayais, d'autant que le Médoc n'était pas encore exploité. Quand l'Aquitaine revint à la France, vers 1450, les relations économiques avec l'Angleterre s'effondrèrent. Mais la viticulture blayaise ne cessa de s'améliorer, et elle produit aujourd'hui un vin qui s'exporte dans le monde entier.

26

La vie du village

Citadelle en fête
La citadelle est en perpétuelle ébullition. En janvier, lors du week-end de la Saint-Vincent, le patron des vignerons, les verres de vin sont servis sur des barriques pour une dégustation de Blaye-Côtes-de-Bordeaux. Le Printemps des vins se déroule le troisième week-end de mars. En juillet, le jumping dans les douves attire les inconditionnels du saut d'obstacles.
En août, un festival de théâtre anime la place d'Armes.

Cachés au milieu des remparts qui se dressent au-dessus des douves, 15 ares de vigne se déploient dans la citadelle de Vauban. Ce minuscule vignoble jumelé avec celui de Montmartre, produit quelque sept cents bouteilles par an. Baptisé l'échauguette, il est si petit qu'on l'a dénommé « journal », car il correspond au travail que peuvent effectuer en une journée un homme et son cheval…

UN SITE STRATÉGIQUE

Situé aux confins de la Charente, le vignoble du Blayais, d'appellation côtes-de-blaye, s'éparpille sur quarante communes. Mais, si loin que remonte la viticulture, c'est pourtant le blé qui serait à l'origine du nom de la cité. Blaye viendrait en effet de blavos, qui, en gaulois, signifiait blond, comme les blés que l'on exportait à partir du port. Il ne faut pas oublier non plus la blondeur de la pierre d'Aquitaine, qui confère une allure majestueuse aux maisons aux tuiles dorées et à la citadelle qui se dresse fièrement sur la falaise au-dessus de la rive droite de la Gironde. Déjà au IIIe siècle, cette falaise portait un castrum. En 732,

Ci-contre : dans l'enceinte de la citadelle subsistent les vestiges du château des Rudel, qui portaient au Moyen Âge le titre de vicomtes de Blaye. L'un de ses plus célèbres occupants fut, au XIIe siècle, le troubadour Jaufré Rudel.

Ci-contre : la citadelle fut agrandie entre 1685 et 1689 sur les plans de Vauban et sous la direction de Claude de Saint-Simon, le père du mémorialiste, qui était gouverneur de la ville de Blaye. Témoignant du génie de l'architecture militaire au XVIIe siècle, cet ensemble fortifié, complété par le fort Paté, implanté sur un îlot de la Gironde, et par le fort Médoc, sur la rive gauche, verrouillait l'accès à l'estuaire.

cette sentinelle sur le fleuve appartint un temps aux Maures, qui furent délogés par Charles Martel. Mais c'est surtout Roland, neveu de Charlemagne et premier comte de Blaye, qui en fit la renommée : c'est là que l'empereur ramena le corps de son neveu, dont la sépulture attira tout au long du Moyen Âge les pèlerins en route vers Saint-Jacques-de-Compostelle. Durant la guerre de Cent Ans, la position stratégique du site, en aval de Bordeaux, en fit un objet de convoitise entre Français et Anglais. Le fort dominant la cité fut plusieurs fois détruit et reconstruit jusqu'au XVIIe siècle, époque où il fut rasé et remplacé par la citadelle que l'on admire aujourd'hui, œuvre de Vauban.

UNE CITADELLE BIEN VIVANTE

Les promenades dans les rues de la citadelle ou du centre-ville illustrent un art de vivre caractéristique de cette généreuse région bordelaise. Bien entretenue et maintenue vivante grâce à la présence d'artisans et de quelques habitants, la citadelle qui s'étend sur 17 hectares accueille les visiteurs qui affluent dès la belle saison. Deux tours subsistent du château des Rudel, berceau du troubadour Jaufré Rudel (XIIᵉ s.). De la tour de l'Éguillette et de la place d'Armes, la vue s'étend au loin sur l'estuaire et sur les îles. L'ancien pavillon de la Place abrite un musée d'Histoire et d'Art du pays blayais, évoquant en particulier le souvenir de la duchesse de Berry qui y fut enfermée par le roi Louis-Philippe en 1833 : la belle-fille de Charles X avait eu le tort d'avoir voulu soulever la Vendée pour établir sur le trône son fils, le duc de Bordeaux.

À LA DÉCOUVERTE DE BLAYE

Rendez-vous à la place de la Citadelle, d'où vous pourrez embrasser du regard la citadelle et les jolies maisons des cours du Port, Vauban, De Lattre-de-Tassigny et de la République. Tout près de l'office de tourisme, le jardin public offre un belvédère donnant sur le fleuve. Entrez dans la citadelle par la porte Dauphine et flânez dans toutes les rues où les artisans ont établi leurs quartiers, sans oublier le couvent des minimes (XVIIᵉ s.) et son jardin, la porte Royale et l'exceptionnelle vue de la tour de l'Éguillette, sur les îles Nouvelle et Pâté. Il est possible de découvrir l'estuaire en bateau, et la ville et le vignoble en train touristique.

Près de l'église de Plassac, des fouilles ont permis de mettre au jour les restes de plusieurs villas gallo-romaines dont la construction s'est étagée entre les Iᵉʳ et Vᵉ siècles de notre ère. À proximité, un musée consacré à l'historique des villas expose de nombreux objets (monnaies, céramiques, outils), ainsi que des peintures murales dans le style pompéien.

Le caviar aquitain

Après avoir été surexploité, le caviar Acipenser sturio a disparu jusqu'au jour où les scientifiques ont aidé les éleveurs à relancer des écloseries d'esturgeons (*Acipenser sturio*). Depuis 1995, les esturgeons aquitains produisent de nouveau l'or noir de la Gironde. À Fort-sur-Gironde, en aval de Blaye, on peut visiter une exploitation. Des alevins aux femelles de huit ans, on suivra les étapes de la vie de ces poissons que l'on dégustait quotidiennement dans la région au XIXᵉ siècle.

Village pratique

Habitants : Les Blayais.
Informations touristiques :
Office de tourisme, allées Marines,
33390 Blaye.
Tél. : 05 57 42 12 09.
E-mail : officetourisme.blaye@wanadoo.fr
Site Internet : www.blaye.net

Comment s'y rendre ?
• À 45 km à l'est de Bordeaux par la N 137
  ou la D 669, qui passe par les vignobles.
  À 75 km à l'est de Royan par la N 137
  ou la D 255.
• Gare TGV à Bordeaux.

Que rapporter ?
• Des pralines.
• Des asperges blanches, des framboises.
• Du caviar de Gironde.
• De la lamproie.
• De la vannerie, des tuiles et
  des carreaux de Gironde.

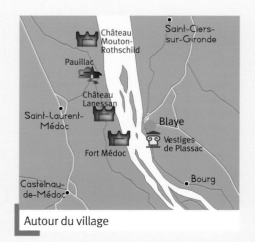

Autour du village

Charroux

Replié à l'abri de ses remparts, Charroux est situé aux confins de la Limagne et du Bourbonnais.
Les rues pavées et les maisons anciennes s'organisent jusqu'au cœur intime du bourg,
minuscule place herbeuse qui résume l'histoire du village.

La vie du village

Charroux en fête

Le 14 juillet 1791, Charroux célébrait en grande pompe la « liberté française » et offrait à tous ses habitants un festin patriotique. La tradition s'est maintenue : le jour de la fête nationale, après le défilé de chars fleuris et les jeux de plein air, les habitants se retrouvent pour un casse-croûte champêtre offert par la municipalité. Autre rendez-vous de l'été, la journée des Artistes et des Artisans, le premier week-end d'août.

30

Ci-dessus à gauche : nombreuses sont les rues de Charroux qui portent le nom d'une activité qui s'y déroulait. Ainsi la rue de la Poulaillerie (photo), la rue des Tanneurs, la rue de la Ferraillerie ou encore celle de la Corderie...

À droite : la porte d'Occident est surmontée par une construction appelée Beffroi ou tour de l'Horloge. Dans cette tour est installée une horloge, aujourd'hui mécanisée.

Ancienne ville franche, Charroux fut jusqu'au XIXᵉ siècle un bourg dynamique et fort peuplé où se tenaient d'importants marchés. On y vendait des volailles, du gibier, de la laine et du chanvre, du beurre et du fromage. Dès la fin de l'hiver, une foule de journaliers venus de toute la région gagnait le village pour les travaux des champs.

UNE VILLE-VILLAGE

De cette période opulente Charroux a conservé de belles maisons de maître et de grosses fermes closes. Dans les faubourgs, les places autrefois dévolues à l'accueil des carrioles et des chevaux forment des espaces de verdure où poussent des arbres majestueux. Inscrit dans un rectangle jadis protégé par des enceintes, le village s'organise selon un plan en damier évoquant celui des bastides. Les rues convergent vers le vieux quartier médiéval, qui a conservé des éléments de ses remparts circulaires et deux des huit portes qui en permettaient l'accès. Autrefois intégrée à ce système de fortifications, l'église Saint-Jean-Baptiste date, pour sa partie la plus ancienne, du XIIᵉ siècle. Non loin se trouve une maison du XIVᵉ siècle, reconnaissable à ses encorbellements et à ses beaux colombages. Dans ce noyau très ancien, la rue de la Poulaillerie, la rue de l'Horloge ou la rue

Les puits de Charroux

On estime à près de trois cents le nombre de puits du village. Bien supérieure aux besoins de la population, même au XIX⁰ siècle lorsqu'elle dépassait deux mille habitants, cette densité exceptionnelle révèle l'opulence de l'ancienne cité. Chaque foyer, ou presque, possédait alors son puits. On les découvre aujourd'hui au hasard des ruelles, avec leurs murets de pierres blanches et leurs fines ferronneries auxquelles s'accrochent des plantes fleuries.

Ci-dessus à gauche : la « cour des Dames » est située au centre du village. C'est sur cette place, bien protégée par les murs des maisons qui l'entourent, que la population se réfugiait en cas de danger.

À droite : la tour de la Prison (ou tour de guet) conserve, à sa gauche, un vestige du mur de l'enceinte.

31

Hennequin, pavées de grosses pierres, sont bordées de demeures datant pour certaines du XV⁰ siècle. Par un petit passage on accède au cœur même de Charroux, une jolie cour ronde cernée de bâtiments aux façades concaves. Baptisée la cour des Dames, cette placette envahie par l'herbe servait autrefois de lieu de rassemblement aux bourgeois de la ville et de citadelle en cas d'attaque.

UN RÉVEIL PROGRESSIF

Si cette cité ancienne ne compte plus aujourd'hui que trois cents habitants, ceux-ci s'attachent à faire de Charroux un lieu vivant. De nombreuses maisons, modestes ou bourgeoises, ont été rénovées, et une animation joyeuse s'empare du village dès les beaux jours. Les anciennes halles du XIX⁰ siècle accueillent début juillet un marché nocturne de produits régionaux, et plusieurs artisans se sont installés dans le bourg. Ainsi la découverte du riche patrimoine charlois peut être ponctuée d'une halte à l'huilerie-moutarderie, où est produite dans la plus grande tradition une moutarde locale connue depuis le XII⁰ siècle. Dans le musée du Patrimoine, où sont notamment exposés des vestiges gallo-romains et mérovingiens, c'est toute l'histoire de Charroux qui renaît grâce

Un clocher tronqué

Partiellement fortifiée, l'église Saint-Jean-Baptiste, fondée au XIIᵉ siècle par les Templiers, a été largement remaniée au XIVᵉ siècle. Transition entre le baroque et le gothique, elle possède un beau portail polylobé. À l'intérieur, les chapiteaux sont ornés de figures humaines. Selon la légende, ces figures seraient celles des tanneurs qui contribuèrent à la reconstruction de la flèche, détruite à plusieurs reprises au cours de l'histoire. Elle a définitivement disparu au XVIIIᵉ siècle, laissant un clocher octogonal à la silhouette tronquée.

Le château de Chareil, à Chareil-Cintrat, doit son aspect actuel aux transformations qu'y effectua au XVIᵉ siècle Claude Morin, contrôleur ordinaire des guerres de Charles VIII, qui remania la vieille demeure dans le goût de la Renaissance.

Village pratique

Habitants : Les Charlois.
Informations touristiques :
Office de tourisme
en pays Saint-Pourcinois,
rue de l'Horloge, 03140 Charroux.
Tél. : 04 70 56 87 71.

Comment s'y rendre ?
• À 30 km à l'ouest de Vichy par la N 209 jusqu'à Lyonne, puis la D 117 et la D 42.
• À 60 km au nord de Clermont-Ferrand par l'A 71/E 11 et l'A 719, puis la N 9 et la D 42.
• Gares : Vichy, Saint-Bonnet-de-Rochefort, Gannat.
• Aéroport : Clermont-Ferrand.

Que rapporter ?
• De l'huile et de la moutarde de Charroux.
• Des savons artisanaux.
• Des objets en bois, des broderies, des céramiques et des poteries.

aux nombreux objets présentés et aux documents d'archives. Enfin, Charroux possède une halte jacquaire, dans une maison à colombages du XVᵉ siècle, restaurée en 2008.

À LA DÉCOUVERTE DE CHARROUX

En pénétrant dans le village, vous accédez rapidement à l'une des rues qui suivent l'enceinte circulaire (rue Grande, rue Mornas, rue du Pavillon et rue des Fossés). Faites-en le tour pour découvrir la porte de l'Horloge (sa cloche sonne les heures depuis 1549), la porte d'Orient et les halles du XIXᵉ siècle, pavées de grosses pierres. Rendez-vous à l'église Saint-Jean-Baptiste, qui mérite une visite, puis empruntez les petites rues pour accéder à la minuscule cour des Dames. Gagnez enfin le belvédère ou le point de vue de la Chaume des Vents pour découvrir la campagne environnante.

Autour du village

Hélette

Hélette est situé en plein Pays basque, au pied du mont Baïgura, sur la terre des pottocks,
chevaux bruns typiques de la région. Le village accueille toujours les pèlerins en route vers Compostelle.
Cette tradition d'hospitalité se perpétue à travers ses fêtes.

Ci-dessus : deux panneaux indiquent le nom du village ! L'un est en français, l'autre en basque ; le troisième indique le nom d'un quartier.

Ci-contre : la place centrale est bordée d'auberges et de belles maisons. Au centre se dresse le fronton destiné aux jeux de pelote, élément indispensable dans tout village basque qui se respecte !

Un enfant du pays

Né à Hélette en 1736, Garra de Salagoïty mena de front des études religieuses et scientifiques. Il devint professeur émérite d'hydrologie à Bayonne après de longues années d'enseignement et élabora une méthode pédagogique de cette science, qui fut publiée en 1780 (Éléments de la science du navigateur) et inspira la loi relative aux écoles de la marine marchande. Il enseigna à Narbonne, Saint-Jean-de-Luz, Marseille et Toulon.

Pourquoi, au XVIIIe siècle, un hydrologue, Garra de Salagoïty, aurait-il purifié Hélette ? Une inscription l'indique sur l'une des nombreuses maisons anciennes du village. Le mystère reste entier… En revanche, une chose est sûre : Hélette est un bourg hospitalier et convivial. Cortèges de la Fête-Dieu, foires et fêtes l'animent tout au long de l'année, et ce depuis des siècles.

UN RICHE PASSÉ

Hélette a une longue histoire, comme l'attestent ses maisons médiévales. La plus connue est sans doute celle de maître Santa Maria, édifiée au XIIIe siècle et remaniée maintes fois, qui possède un étonnant escalier Renaissance en bois tournant sculpté d'anges. Appelée aussi « maison forte » ou « château », elle fut l'un des principaux bastions défensifs de basse Navarre et est toujours en excellent état. Au centre du village, sur la place principale (le champ de foire), vieilles auberges (ostatua) et demeures anciennes contribuent au charme des lieux. Cette place est ainsi bordée de maisons de style basque, ornées de petites sculptures, de décorations figuratives ou de croix basques sur les linteaux et les portes : oiseaux, créatures mi-hommes, mi-bêtes, enseignes médiévales… La façade de la mairie présente également une inscription en basque relatant que le sieur Garra de Salagoïty, abbé et hydrologue, « purifia », en son temps, cette « caverne de voleurs » !

La vie du village

La Fête-Dieu

Au mois de juin, pour marquer l'arrivée de l'été, tout le village est en fête. Les femmes confectionnent les costumes traditionnels que porteront les hommes durant la procession. Selon un protocole précis, le défilé parade dans le village, avant d'entrer dans l'église où les hommes « présentent armes » sur fond de musique militaire et de chants religieux. Dehors, fanfares militaires, chants et danses basques animent le village durant toute cette journée de la Fête-Dieu.

SUR LA ROUTE DE COMPOSTELLE

Hélette porte encore l'empreinte du pèlerinage de Saint-Jacques avec un gite d'étapes pour les pèlerins, l'église paroissiale et la chapelle de Bixintxo, à l'est du village. Restaurée au XVIIe siècle, l'église, qui daterait du XIIIe siècle, abrite une statue de saint Jacques. Les deux galeries en bois furent ajoutées en 1695 pour accueillir des fidèles de plus en plus nombreux. La chapelle de Bixintxo (où est fêté saint Vincent, patron des vignerons) est sans doute l'une des plus anciennes du Pays basque. Durant des siècles, des pèlerins vinrent s'agenouiller devant son autel, tout comme devant celui de l'église. Au cœur d'une région décrite comme une « terre inhospitalière » dans un recueil du XIIe siècle, avec d'épaisses forêts peuplées de loups, Hélette était ainsi connu pour son hospitalité. Aujourd'hui encore, randonneurs et pèlerins sont accueillis avec chaleur au village et dégustent un copieux repas basque dans des restaurants qui perpétuent fièrement cette tradition d'accueil multiséculaire.

Ci-dessus à gauche : Hélette compte une coopérative laitière. On y fabrique notamment le célèbre Ossau-Iraty, fromage AOC à base de lait de brebis.

À droite : l'église Notre-Dame est entourée par le cimetière du village. Certaines des tombes que l'on y trouve sont vieilles de plusieurs siècles.

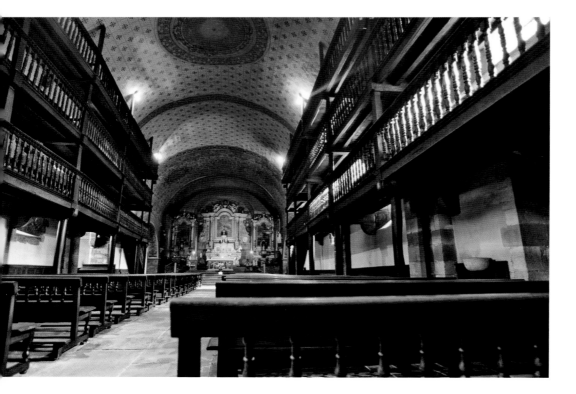

Niché au creux d'une vallée en plein cœur du Pays basque, à moins de 50 km de l'océan Atlantique, Saint-Étienne-de-Baïgorry est un village au charme authentique. On y découvre de nombreuses traces du passé, comme par exemple le pont « romain », datant de 1661, et l'église Saint-Étienne (XIe s.), admirablement située en bordure de la Nive. Elle abrite un orgue réalisé par l'atelier Rémy Malher, acquis en 1992 grâce à la générosité des paroissiens.

À LA DÉCOUVERTE D'HÉLETTE

La place principale est le cœur battant du village, avec son incontournable mur dédié à la pelote basque. Hélette est d'ailleurs un lieu de compétitions renommé. Face au mur, une grande croix en pierre rappelle la vocation religieuse du bourg. Maisons de maître – dont la maison de Garra de Salagoïty (Garragaztel) et l'actuelle mairie (Herriko Etxea) – et auberges encadrent l'esplanade qui accueille chaque année les foires aux bestiaux et aux pottoks. Un peu en retrait surgit l'église, entourée d'un cimetière aux curieuses stèles rondes typiques de la région. Sur la route de Louhossoa, ne manquez pas la fromagerie Agour et son musée basque du Pastoralisme et du Fromage, qui permet de découvrir la vie des bergers.

Village pratique

Habitants : Les Hélettars.
Informations touristiques :
Office de tourisme intercommunal du pays de Hasparren-Hazparneki Lurraldea,
2, place Saint-Jean,
64240 Hasparren.
Tél. : 05 59 29 62 02.
Comité départemental de tourisme Béarn-Pays basque,
4, allée des Platanes,
64100 Bayonne.
Tél. : 08 20 054 064.
Site internet : http://www.tourisme64.com/

Comment s'y rendre ?
• À 38 km au sud-est de Bayonne, par la D 932, puis la D 918 et la D 119. Continuer un peu sur la D 22 et la D 245 jusqu'à Hélette.
• Gares : Bayonne, Saint-Jean-de-Luz, Saint-Jean-Pied-de-Port.

Que rapporter ?
• Du fromage de brebis (Ardi gasna.)
• De la tomette d'Hélette (petit fromage).
• Du piment doux (Biper eztia).
• Du gâteau basque.

Autour du village

Lusignan

Du haut de son promontoire rocheux qui domine la vallée de la Vonne, Lusignan arbore fièrement les signes de sa prestigieuse histoire. Parmi son patrimoine monumental figurent les vestiges d'une forteresse, élevée, assure la légende, par la fée Mélusine.

Ci-dessus : cette maison
à colombages datant du
XVᵉ siècle est l'un des
édifices les plus anciens
de Lusignan.

La vie du village

Ville de culture et d'histoire
Lusignan propose des manifestations dont le succès se confirme au fil des années. La plus ancienne, le Salon du livre qui convie des auteurs français et étrangers, se tient en automne. En été, les Nuits romanes, organisées avec le concours de la Région, mettent en lumière un édifice transformé pour l'occasion en salle de concert. La Journée médiévale (en juillet) propose une promenade et s'achève par un dîner d'époque.

Une station verte de vacances

Alliant un riche patrimoine architectural à un magnifique cadre champêtre, Lusignan bénéficie du label Station verte de vacances, véritable référence qui garantit un accueil de qualité dans un environnement préservé. Afin de mieux satisfaire les familles et d'allonger une belle liste d'attraits, le village a aménagé une base de loisirs avec plage, baignade surveillée en été et jeux sur les rives de la Vonne.

Il était une fois une fée nommée Mélusine qui cherchait un mari pour échapper à une terrible malédiction infligée par sa mère.

Elle jeta son dévolu sur un beau chevalier poitevin, Raymondin, auquel elle promit la richesse et la gloire s'il acceptait de ne jamais la voir le samedi. Le mariage se fit, et le comte de Poitiers offrit aux jeunes époux un lopin de terre, dont ils étaient libres de délimiter les frontières, à condition toutefois qu'elles fussent contenues dans une peau de cerf. Mélusine tint ses promesses : la peau du cerf fut découpée en lanières suffisamment fines pour encercler un vaste territoire où, en l'espace d'une nuit, elle éleva une solide forteresse. Lusignan était né, et avec lui, l'un des plus glorieux lignages du Poitou. Malheureusement, Raymondin trahit sa promesse et Mélusine disparut, changée en serpent volant comme l'avait prévu la malédiction maternelle.

Ci-dessus : la promenade du Petit Blossac se situe à l'emplacement de l'ancien château de Lusignan. Difficile, au vu des vestiges qui subsistent, d'imaginer qu'il s'agissait de l'un des plus grands châteaux forts construits en France. L'édifice apparaît dans toute sa splendeur dans les *Très Riches heures du duc de Berry*, au mois de mars.

Des bois aménagés

Bois communal étendu aux portes de Lusignan et déployé sur les rives de la Vonne, le Grand Parc conserve sur 160 ha le souvenir de l'immense forêt de Coulombiers où sont censés s'être rencontrés Mélusine et Raymondin. Autrefois réservés aux seigneurs de Lusignan qui y pratiquaient leur sport favori, la chasse, ces bois du Grand Parc demeurent un espace de loisirs qui s'est ouvert aujourd'hui au plus grand nombre, grâce à l'aménagement de sentiers balisés.

LA RICHESSE ET LA GLOIRE

Mélusine avait choisi pour Lusignan un site stratégique, sur une importante voie de communication, menant notamment de Poitiers à Angoulême. Les Romains y avaient fait passer une voie, qu'emprunteront des siècles plus tard les pèlerins en route vers Saint-Jacques-de-Compostelle et dont les rois de France feront une voie royale. Lusignan doit une grande part de sa richesse passée à cette route, qui amena tant de pèlerins et de marchands. Engagés dans les croisades, ses seigneurs l'empruntèrent pour gagner Chypre et Jérusalem. L'imposante église romane, élevée au XIᵉ siècle sur ordre d'Hugues IV de Lusignan, témoigne toujours de leur puissance. En revanche, les guerres de Religion n'ont pas épargné la forteresse, dont il ne subsiste que des salles souterraines et des vestiges de tours.

Ci-dessus : les voussures du portail nord de l'église Notre-Dame-et-Saint-Junien sont surmontées d'une frise figurant un bestiaire.

Ci-contre : une sculpture à l'effigie de Mélusine orne la façade du centre André-Léo. Derrière ce pseudonyme se cache Victoire Léodile Bera (1824-1900), journaliste, romancière et féministe, native de Lusignan, restée dans les mémoires pour sa participation à la Commune.

LA DÉCADENCE ET L'OUBLI

Aujourd'hui, la voie royale est devenue la départementale 611, et Lusignan s'est métamorphosé en un agréable bourg de deux mille sept cents habitants. La magie de

Ci-dessus : le petit village de Jazeneuil est situé à 6 km au nord-ouest de Lusignan. Il abrite l'église Saint-Jean-Baptiste, chef d'œuvre de l'art roman dont le magnifique chevet à contreforts-colonnes se dresse sur les bords de la Vonne. On pense d'ailleurs que l'édifice doit son nom à la proximité de la rivière, dont l'eau rappelle le baptême. Les vitraux, réalisés dans les années 1990, évoquent aussi le thème de l'eau baptismale.

Mélusine n'a pas totalement déserté les lieux. La fée demeure très présente, évoquée à chaque coin de rue par des statues, enseignes et bas-reliefs. Les alentours de l'ancien château ont été aménagés au XVIIIe siècle en un magnifique jardin à la française. Celui-ci abrite le centre André-Léo, qui héberge notamment l'office de tourisme et une exposition permanente sur la légende de Mélusine et l'épopée des Lusignan. Les flâneurs se rendent volontiers sur les rives de la Vonne, avant de gagner le centre ancien où, parmi les monuments les plus intéressants, figurent l'église romane Notre-Dame-et-Saint-Junien, les halles couvertes du XIXe siècle, une maison à colombage du XVe siècle, et la demeure du gouverneur élevée au XVIe siècle.

À LA DÉCOUVERTE DE LUSIGNAN

La recherche des différentes représentations de Mélusine peut constituer un fil conducteur pour explorer le centre de Lusignan. L'office de tourisme propose également un itinéraire qui permet de découvrir les nombreux monuments de la petite cité. Il part des jardins de l'ancienne forteresse pour aboutir au centre ancien, en passant par les berges de la rivière.

Village pratique

Habitants : Les Mélusins.
Informations touristiques :
Office de tourisme du pays mélusin,
Place du Bail, BP 10
86600 Lusignan
Tél. : 05 49 43 61 21.

Comment s'y rendre ?
• À 25 km au sud-ouest de Poitiers par la N 11.
• Gare : Poitiers.
• Aéroport : Poitiers-Biard.

Que rapporter ?
• Des macarons et des gâteaux, notamment les raymondins.

Autour du village

Saint-Jouin-de-Marnes

DEUX-SÈVRES – RÉGION POITOU-CHARENTES

SAINT-JOUIN-DE-MARNES

Entre les vallées du Thouet et de la Dive, Saint-Jouin-de-Marnes est situé sur une ancienne voie
romaine menant de Poitiers à Angers. Le village est surtout connu pour son abbatiale,
l'un des plus beaux monuments romans du Poitou.

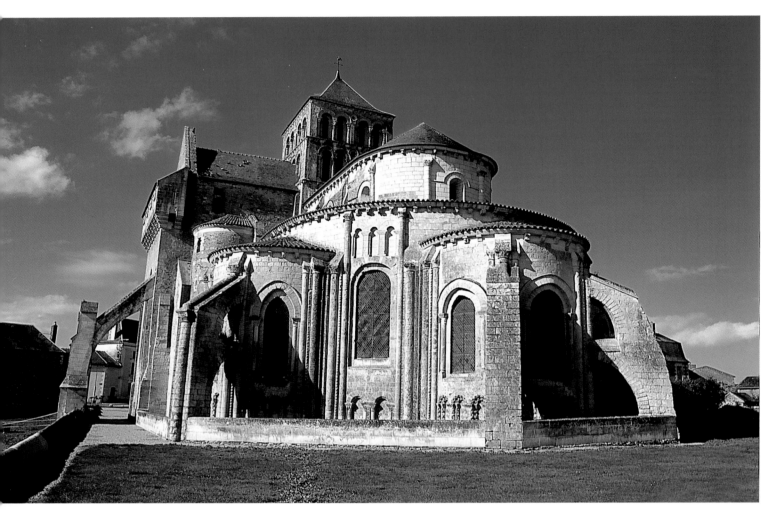

Un patrimoine en valeur

Un groupe d'admirateurs a créé l'association des Amis de l'abbatiale de Saint-Jouin-de-Marnes. Un site Internet très complet (http://perso.wanadoo.fr/abbatiale.st-jouin-de-marnes/accueil.htm) permet de découvrir le monument pour préparer la visite. L'église est ouverte tous les jours, mais des visites guidées sont assurées à certaines périodes de l'année. Pour faire vivre le lieu, l'association y organise régulièrement des concerts de musique sacrée.

Ci-dessus : le chevet de l'abbaye est étayé par de puissants contreforts qui alourdissent la construction. Le clocher carré, percé de baies en plein cintre, apparaît, en revanche, très élancé.

En 843, les moines bénédictins de Vertou, fuyant les envahisseurs vikings, remontent la Sèvre en bateau, puis le Thouet, pour venir se réfugier à l'abbaye de Saint-Jouin avec leurs trésors : le corps de saint Martin, leur fondateur, de nombreuses reliques, de l'argent et de précieux manuscrits. L'arrivée de cette communauté donnera à l'abbaye un rayonnement qu'elle n'a jamais connu jusqu'alors.

QUATORZE SIÈCLES DE VIE MONASTIQUE

Au IVe siècle, l'ermite Jovinus, qui donnera son nom au site, fonde un oratoire sur un ancien domaine agricole gallo-romain, perdu au beau milieu des marais de la Dive. Très vite, une petite communauté se forme autour de lui. Ce premier monastère, que saint Martin, venu en mission d'évangélisation dans la région, convertit à la règle bénédictine au VIIe siècle, est un centre de diffusion du christianisme dans cette contrée située aux confins du Poitou, de l'Anjou et de la Touraine. Au fil des siècles, la communauté s'agrandit, et le besoin d'édifier de nouveaux bâtiments pour loger les moines se fait sentir. Dans la seconde

Ci-dessus : la façade principale de l'abbatiale. Le portail, encadré par deux portes, s'ouvre dans un arc aux voussures finement sculptées. Au-dessus, la grande baie centrale est entourée de statuettes représentant saint Pierre et saint Paul, saint Jouin et saint Jean l'Évangéliste, l'Annonciation et un personnage qui pourrait représenter l'Église.

Ci-contre : les voûtes de sept des dix travées de la nef, ainsi que celles du déambulatoire et des chapelles latérales, sont des voûtes angevines. Le profil bombé de ce type de voûtes gothiques est dû à la différence de hauteur très marquée entre la clef de voûte et les clefs des arcs formerets et doubleaux.

Ci-dessus à droite : le pignon de la façade principale de l'abbatiale est décoré d'un ensemble sculpté ayant pour thème le Jugement dernier. Dans la partie inférieure, l'artiste a représenté trente petits personnages convergeant vers la Vierge Marie, qui sert d'intercesseur. Le Christ, entouré de deux anges, la domine.

La vie du village

La fête des Reliques

La grande fête de Saint-Jouin a lieu en septembre le dimanche suivant la fête de la Nativité de la Vierge Marie. Dès les premiers temps du christianisme, le culte rendu aux martyrs se manifesta par la vénération de leurs reliques. Aujourd'hui, après une messe solennelle dite dans l'abbatiale en l'honneur des saints patrons de l'abbaye, saint Jouin et saint Martin de Vertou, la fête religieuse s'accompagne d'une grande foire dans le bourg et d'une brocante vide-grenier.

moitié du XIe siècle est lancé un projet très ambitieux : celui de construire, à la place de la modeste église, un édifice aux dimensions très importantes (la longueur totale de l'abbatiale est supérieur à 72 m). Malgré les ravages de la guerre de Cent Ans, et, plus tard, ceux des guerres de Religion, le monastère reste florissant jusqu'au début du XVIIIe siècle. Les destructions de la période révolutionnaire l'éprouveront durement, mais ne parviendront pas à le faire disparaître, et l'église, rendue au culte dès 1795, sera épargnée.

UN CENTRE D'ATTRACTION

Lieu de recueillement, Saint-Jouin ne fut cependant jamais à l'écart du monde. En effet, c'est à Ension que la voie romaine venant de Poitiers se divisait en deux branches, se dirigeant l'une vers Nantes, l'autre vers Angers. Pour surveiller le passage, les Romains y établirent un camp. Au Moyen Âge, ce sont les pèlerins qui sont nombreux à venir se recueillir auprès des reliques de saint Jouin et de saint Martin, d'autant que, pour certains, Saint-Jouin est une étape sur la route de Saint-Jacques-de-Compostelle. Aujourd'hui, la commune, qui compte 578 habitants, accueille tous les ans plus de 25 000 visiteurs, venus admirer l'abbatiale. Édifiée aux XIe et XIIe siècles, elle est considérée comme un joyau de

Plein air, pêche et équitation

Un séjour à Saint-Jouin permet de se détendre dans une région verdoyante. La vallée de la Dive est située aux abords du Marais poitevin. Le Thouet est riche en brochets, carpes et tanches… Les amateurs de chevaux et de poneys seront bien accueillis à la ferme équestre de La Marillère, qui propose également des stages d'apprentissage de l'équitation.

l'architecture romane poitevine et témoigne de l'importance de l'ensemble monastique disparu après la Révolution. Avec son marché, qui se tient tous les samedis matin, ses artisans et ses commerçants, Saint-Jouin-de-Marnes demeure un village actif.

À LA DÉCOUVERTE DE SAINT-JOUIN-DE-MARNES

Visiter Saint-Jouin, c'est avant tout découvrir l'abbatiale qui veille sur les maisons du bourg, blotties à ses pieds. En pénétrant à l'intérieur, vous serez frappé par la taille de l'édifice : la nef comporte dix travées. Les trois premières ont gardé leur style d'origine. Les sept suivantes ont vu leurs voûtes en berceau remplacées par des croisées angevines. Observez les clés de voûte, qui sont toutes différentes. Dans le chœur, admirez les stalles en chêne datant du début du XVIIIe siècle et le magnifique lutrin qui représente un griffon. Une fois sorti, prenez le temps d'admirer la façade.
Terminez votre visite par le cloître qui subsiste en partie, puis promenez-vous dans le village. En vous éloignant un peu du centre, vous aurez une très belle vue sur la vallée de la Dive et sur le donjon de Moncontour.

Le château d'Oiron (XVIe-XVIIe s.), construit pour la famille Goufier, fut ensuite habité par Mme de Montespan. Il abrite une remarquable galerie Renaissance décorée de peintures représentant des scènes de L'Iliade et de L'Énéide.

Village pratique

Habitants : Les Saint-Jouinais.
Informations touristiques :
Syndicat d'initiative,
48, rue des Halles,
79600 Airvault.
Tél. : 05 49 70 84 03.

Comment s'y rendre ?
• Saint-Jouin se situe au centre d'un triangle formé par les villes de Poitiers, Saumur et Parthenay, au carrefour des routes départementales 46 et 37.
• Gare : Poitiers.

Que rapporter ?
• Du vin des coteaux du Thouet.
• Du farci poitevin, à base de feuilles de chou et de viande hachée.
• Des fromages de chèvre.
• Des cartes postales de l'abbaye.
• Des ouvrages sur l'architecture monastique.

Autour du village

44

Charente-Maritime – Région Poitou-Charentes

Talmont-sur-Gironde

Déployant ses maisons au seuil de l'embouchure de la Gironde,
Talmont doit sa renommée à son église. Surgissant des remparts où viennent se briser les vagues,
il est considéré comme le plus beau sanctuaire roman du Saintonge.

Une situation périlleuse

Posée au bord d'un précipice balayé par le vent, l'église Sainte-Radegonde fut construite en 1094 dans le style roman saintongeais. Menacée d'effondrement par le courant qui rongeait le calcaire, la falaise sur laquelle elle s'élève a été consolidée. Au XVe siècle, la nef perdit une de ses deux travées. Outre sa position spectaculaire au-dessus des flots, l'église doit également son intérêt à la richesse de son décor sculpté, notamment sur les voussures du portail nord montrant l'Agneau mystique en compagnie des anges. Sur l'arc de gauche, on distingue des monstres à gueule de crocodile et, sur la frise qui prolonge les chapiteaux, une femme allongée, face à un lion.

46

Ci-dessus :
d'un pur style roman saintongeais, l'église Sainte-Radegonde fut édifiée à la fin du XIe siècle selon un plan cruciforme d'une belle simplicité. Posée en équilibre sur une falaise dominant la Gironde, elle est considérée comme l'un des plus beaux sanctuaires de la région.

Une légende raconte qu'au Moyen Âge un pirate avait établi son repaire dans l'une des grottes creusées dans la falaise de Talmont. La nuit, il sortait en barque avec un bélier noir dont les cornes incandescentes attiraient les navires qui venaient alors se briser sur les récifs. Le naufrageur pillait ses proies et n'avait plus qu'à rejoindre sa grotte chargé deson sinistre butin.

LE BRUIT DES ARMES

La beauté exceptionnelle du site de Talmont se double d'une position stratégique qui excita longtemps les convoitises. Occupé depuis la préhistoire, le bourg charentais fut au cours des siècles la proie des Celtes, des Romains, des Sarrasins et des Anglais. Lorsqu'en 1284 Talmont est édifié en ville fortifiée sur l'ordre du roi Edouard Ier d'Angleterre, les Anglais sont les maîtres de l'Aquitaine et des bords de la Gironde depuis un siècle et demi. Construit sur un promontoire rocheux qui domine l'embouchure du fleuve, il conserve tout au long de la guerre de Cent Ans une importance stratégique pour

La vie du village

Retour de pêche

Tout au long de l'été, habitants du village et touristes se réunissent sur les quais du petit port de Talmont pour assister au retour des pêcheurs. La Gironde est particulièrement généreuse en poissons, alose et lamproie mais aussi maigre : ce gros poisson originaire des côtes d'Afrique et pouvant peser jusqu'à soixante kilos est bien la vedette de ces matins estivaux…

Ci-dessus : vieux puits, cabanes à carrelets, sobres façades de pierre aux volets pastel : Talmont est bien la « perle de l'estuaire ».

l'Angleterre. Mais le temps a bien cicatrisé les traces de cette longue succession de troubles : le village semble avoir toujours vécu dans la douce sérénité qui l'enveloppe aujourd'hui.

UNE SENTINELLE SUR LA GIRONDE

Les roses trémières multicolores qui bordent les tortueuses ruelles du bourg et tapissent les façades ont avantageusement remplacé le cliquetis des armes. Et il y a bien longtemps que les falaises alentours, truffées de grottes, ne servent plus de refuges aux pirates. Talmont fut aussi une étape incontournable sur la route de Saint-Jacques-de-Compostelle. Après avoir fait leurs dévotions à sainte Radegonde, la patronne du village, les pèlerins poursuivaient leur route en traversant l'estuaire ou en le contournant par Blaye ou

Des grottes, repaires de pirates

Aux alentours de Talmont, notamment à Meschers où se trouvent les grottes de Matata, de nombreuses grottes ponctuent les falaises qui bordent l'océan. Elles furent, assure la tradition, des repaires de pirates et des abris pour les protestants durant les guerres de Religion.

Bordeaux. Dressant sa masse arrondie à l'extrémité du village, sur un promontoire rocheux cerclé de remparts, l'église romane est d'une belle unité architecturale. Elle est entourée d'un petit cimetière marin envahi par les roses trémières qui, lui aussi, a résisté au temps et aux assauts d'une nature impétueuse. En se promenant le long des remparts qui surplombent le fleuve, on ressent de manière presque palpable cette sauvagerie caractéristique de la région. Cette impression s'atténue en flânant dans les vieilles rues aux maisons basses peuplées d'échoppes d'artisans, qui donnent le sentiment de se promener dans un village grec.

À LA DÉCOUVERTE DE TALMONT

En sortant de l'église Sainte-Radegonde et après avoir fait le tour de son petit cimetière, redescendez vers le village par la rue de l'Eglise et faites halte au musée. Installé dans l'ancienne école municipale, il raconte le passé tumultueux du village depuis la préhistoire et évoque la pêche traditionnelle dans l'estuaire de la Gironde.

Village pratique

Habitants : Les Talmonais.
Informations touristiques :
Mairie : place Priauté.
17120 Talmont-sur-Gironde
Tél : 05 46 90 43 87.

Comment s'y rendre ?
- De Paris, A 10, sortie Saintes, puis D 114.
- De La Rochelle en direction de Royan par la D 733, puis en longeant la côte par la D 25, enfin par la D 145.
- Gares les plus proches : Cozes et Royan.
- Aéroport de La Rochelle.
- Aéroport de Bordeaux-Mérignac.

Que rapporter ?
- Du Pineau des Charentes.
- L'asperge du terroir de Blaye, le melon charentais.
- L'ail vert ou aillet (brins d'ails ramassés verts qui donnent aux plats une saveur particulière).

Que voir dans les environs ?
- Le site gallo-romain du Fâ (3 km au sud) : site archéologique de 150 hectares, mettant à jour une cité portuaire gallo-romaine.
- Le village de Mortagne-sur-Gironde : grottes aménagées en monastère. Sur la « route Verte », au sud de Talmont.
- L'ermitage Saint-Martial, fondé au IIe siècle (600 mètres du port de Mortagne-sur-Gironde).

Autour du village

ROUTE LIMOUSINE

Bénévent-l'Abbaye

Étape de l'une des principales routes du pèlerinage à Compostelle, Bénévent-l'Abbaye s'est développé depuis le Moyen Âge autour de son monastère. Exceptionnel témoignage du style roman limousin, l'église, ultime vestige de l'abbaye, est le joyau du bourg.

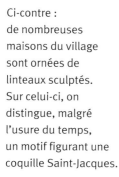

Ci-contre :
de nombreuses
maisons du village
sont ornées de
linteaux sculptés.
Sur celui-ci, on
distingue, malgré
l'usure du temps,
un motif figurant une
coquille Saint-Jacques.

Ci-dessus :
le portail ouest de
l'église abbatiale Saint-
Barthélemy est orné
de voussures en tracé
brisé.

Querelle de clocher

L'abbatiale a été bâtie d'une seule traite à partir de 1120, et la seule rénovation dont elle ait fait l'objet concerne le clocher. Visible d'un peu partout, il a en effet été restauré en 1873 par Paul Abadie, futur architecte du Sacré-Cœur de Paris. Celui-ci s'accorda au passage quelques libertés par rapport à l'esthétique romane, remplaçant l'ancien clocher par un cône préfigurant le dôme de la butte Montmartre. Une charpente couverte de bardeaux a depuis peu remplacé cette curiosité qui suscitait de nombreuses polémiques.

Afin d'étendre la réforme grégorienne, Gui de Laron, évêque de Limoges, confie aux religieux Raimond et Boson la tâche de fonder un monastère augustinien. Un acte de donation daté du 8 novembre 1080 marque ainsi la naissance de la future abbaye, située sur un terrain dépendant de la paroisse de Salagnac. Ce n'est qu'en 1105 qu'elle prend le nom de Bénévent, après avoir reçu de la ville de Benevento, en Italie, une relique de saint Barthélemy.

SUR LA ROUTE DE COMPOSTELLE

Rapidement, les reliques du saint attirent en nombre les pèlerins faisant route vers Saint-Jacques-de-Compostelle. Face à l'affluence, hautement profitable à l'abbaye, décision est prise d'agrandir l'édifice. D'importants moyens financiers sont mis en œuvre et, à partir de 1120, la construction de l'édifice actuel débute. Elle s'achève trente ans plus tard et s'étend progressivement à d'autres bâtiments : un cloître, détruit en 1726, des écuries

La vie du village

La couilla de moutou

Cela ne s'invente pas, c'est du patois, et il s'agit bien de cela ! Bien grillée, cette petite spécialité est offerte aux amateurs de saveurs rares durant les Moutonnades, fête organisée à la fin du mois d'août à l'occasion de la saint Barthélemy. Brocantes nocturnes, cafés-concerts, démonstrations de métiers anciens et grand repas en plein air se succèdent durant trois jours jusqu'au feu d'artifice du samedi soir.

démolies en 1873 ou encore le logis abbatial. De toutes ces constructions, seuls subsistent deux bâtiments faisant équerre autour de l'abside, l'un d'entre eux arborant une splendide porte de style Renaissance. Superbe témoignage du style roman limousin, l'église, tout en sobriété et en équilibre, a été conçue sur le nombre d'or, cette proportion géométrique qui, depuis Pythagore, est utilisée en peinture et en architecture pour ses qualités esthétiques. La façade s'ouvre par un portail polylobé de style hispano-arabe. À l'intérieur, quarante-quatre chapiteaux ornés d'images symboliques rythment la nef, voûtée en berceau brisé et flanquée de bas-côtés étroits.

LE LIMOUSIN D'AUTREFOIS

Malgré le charme paisible qui se dégage des demeures, plutôt cossues, formant le cœur du village, il reste relativement peu de témoignages du riche passé bénéventin. Le village, qui s'est développé dès la fondation de l'église, accueillit une foire dès 1180. Mais les guerres de Religion ont eu raison de nombreux édifices, et la jolie fontaine qui anime la

Ci-dessus à gauche : le logis abbatial fut reconstruit au XVᵉ siècle. On y pénètre par une superbe porte flamboyante à arc en accolade.

À droite : la fontaine se compose d'une colonne et d'un bassin circulaire mouluré. On suppose que ce bassin en a remplacé un de dimensions plus importantes, qui se trouvait dans le cloître de l'abbaye.

53

place du Marché – sans doute le plus ancien monument civil du village – ne date que du XVIIᵉ siècle. La visite, au gré des rues pavées ornées de la coquille de Compostelle, n'en demeure pas moins fort agréable. Le village accueille le dernier fabricant européen de bardeaux fendus, ces plaquettes en bois de châtaignier qui couvrent les toits et les pignons de nombreux bâtiments et clochers du Limousin (et aussi du Mont-Saint-Michel !). La visite de l'atelier, ouvert le vendredi matin, se révèle fort instructive ; tout comme celle du Scénovision, lieu original dédié à l'évocation de la vie des Creusois au XIXᵉ siècle.

À LA DÉCOUVERTE DE BÉNÉVENT-L'ABBAYE

Au départ de l'office de tourisme, qui vend deux plaquettes intéressantes consacrées à l'église, remontez la rue de la Liberté et dirigez-vous vers l'ancienne abbaye. Faites le tour de l'édifice pour observer les modillons à têtes grimaçantes qui soutiennent la corniche. Face à l'église, la rue de l'Oiseau accueille l'espace muséographique.

Ci-dessous : le château de Pontarion domine le Taurion. Cet édifice, inscrit à l'Inventaire supplémentaire des Monuments historiques, a conservé ses éléments défensifs d'origine (mâchicoulis et chemin de ronde). À l'époque des guerres de Religion, le château fut âprement disputé entre catholiques et protestants.

Un appel aux cinq sens

Depuis mars 2006, le village propose un étonnant voyage dans le temps grâce à un concept visuel et sensoriel étonnant : le Scénovision. Pendant plus d'une heure et à travers six salles, des vidéos, des projections d'images 3D et un odorama entraînent le spectateur dans le village à la Belle Époque. Deux voix se font entendre : celle de Marion, jeune paysanne, et celle de Paul Pelissier, le pharmacien distillateur qui inventa la Bénéventine, un breuvage local à base de plantes.

Village pratique

Habitants : Les Bénéventins.
Informations touristiques :
Office de tourisme, 2, rue de la Fontaine,
23210 Bénévent-l'Abbaye.
Tél. : 05 55 62 68 35.

Comment s'y rendre ?
• À 62 km au nord-est de Limoges par l'A 20
  (sortie n° 24 direction Bessines), puis par
  la D 203, la D 28 et la D 914.
• Gares : La Souterraine, Limoges.
• Aéroport : Limoges.

Que rapporter ?
• De la Bénéventine, liqueur à base
  de plantes.
• Du gâteau creusois.

Autour du village

Cadouin

Haut lieu cistercien du Périgord, Cadouin s'est implanté au creux de l'étroite vallée du Bélingou.
Tel un joyau serti dans la forêt de Bessède, ce village s'est développé autour d'une abbaye du XIIᵉ siècle,
monument admirable qui, de tout temps, a attiré de nombreux visiteurs.

Ci-dessus : les galeries du cloître s'ordonnent autour d'un jardin, sur lequel ouvrent des baies à claire-voie. Les chapiteaux des colonnes représentent des scènes de la vie quotidienne et des thèmes empruntés à l'Ancien et au Nouveau Testament.

Ci-contre : la brocante « Le coin des choses » est installée sur la place de l'Abbaye, dans une maison périgourdine qui a conservé tout son cachet.

Vers 1115, Géraud de Sales fonde à Cadouin un ermitage qui devient en 1119 une abbaye cistercienne. En 1214, un texte atteste la présence dans les lieux du linge qui aurait enveloppé la tête du Christ après son supplice. Rapporté de la première croisade à la fin du XIe siècle, ce suaire, qui devient un but de pèlerinage, fait la fortune et la puissance de l'abbaye. Mais, en 1934, la pieuse légende s'effondre : une analyse révèle que le drap de lin est en fait un tissu égyptien, fort ancien certes, mais bien postérieur à l'époque de la mort du Christ. Le pèlerinage n'a plus lieu d'être, mais l'abbaye demeure, déployant toujours les richesses de son architecture...

UNE PERLE DU PÉRIGORD

Le mot *Pax* inscrit sur le portail de l'abbatiale, consacrée en 1154, donne le ton. À l'intérieur, une Vierge à l'Enfant (fin du XVe s.) rappelle que Notre-Dame veillait sur

Une abbaye classée

L'abbaye de Cadouin est classée au Patrimoine mondial de l'Unesco au titre des chemins de Saint-Jacques-de-Compostelle. Elle est également labellisée « Site majeur d'Aquitaine ».

La vie du village

Gastronomie et convivialité

Cadouin, dont le nom viendrait du patois local *cadoune* ou *coudoune*, le « coing », ne déroge pas à la règle du bien manger périgourdin. Sur la place de l'Église, où une plaque célèbre le souvenir du cinéaste Louis Delluc (1890-1924), natif du village, un marché de nuit et un repas de village se tiennent chaque lundi d'été sous et autour de la halle. Chaque convive apporte sa part du festin. En août, un autre marché ponctue la fête médiévale marquée par des animations de rue, un spectacle et un banquet.

ces pierres. Le suaire est un motif omniprésent sur les fresques (du XVᵉ au XIXᵉ s.) et sur les vitraux (1878). La simplicité de la façade principale, offrant deux niveaux d'arcatures aveugles séparées par trois baies en plein cintre, contraste avec la riche décoration intérieure du sanctuaire. Du haut du clocher conique couvert de bardeaux de châtaignier, l'église veille sur la porte Saint-Louis (XIIᵉ s.), seule survivante parmi les trois que comptait l'enceinte disparue, séparant le bourg de l'abbaye. Reposant sur des fondations médiévales, les maisons qui étaient adossées à ce rempart sont les plus anciennes de Cadouin. La place de l'Église abrite aussi la halle pavée (fin du XVᵉ s.), supportée par d'impressionnants piliers de pierre. Sous sa charpente étoilée, elle concentrait l'activité commerciale des moines et des villageois. Fort d'une hospitalité séculaire et d'un tourisme actif, Cadouin y organise des rendez-vous festifs.

Ci-dessus à gauche : le chevet de l'église abbatiale est décoré de modillons historiés, dans la grande tradition de la sculpture médiévale.

À droite : la Vierge à l'Enfant de l'abbaye de Cadouin est un beau groupe sculpté d'époque gothique. Le visage malicieux de l'Enfant Jésus anime la composition, empreint d'une certaine froideur.

Ci-contre : le bâtiment des halles rappelle que Cadouin, outre sa vocation spirituelle, était également un bourg commerçant. Le toit recouvert de tuiles repose sur de massifs piliers de pierre.

Une place vivante

La place de l'Église accueille des restaurants, un ébéniste d'art et une galerie d'art. Dans les bâtiments conventuels se trouve l'Auberge de jeunesse. Cette dernière accueille des visiteurs de toute génération ainsi que de nombreux groupes de jeunes issus de toute la France.

À LA DÉCOUVERTE DE CADOUIN

Garez-vous sur les parkings aménagés à l'extérieur du village. En venant de Buisson-de-Cadouin, vous découvrez, sur la gauche de la rue de la République, principale artère du bourg, l'église et l'abbaye, ainsi que la halle. Prenez à gauche la rue de la Porte-Saint-Louis, observez, par les regards ménagés dans la chaussée, le Bélingou, qui traverse Cadouin en souterrain. Revenez sur la rue de la République, puis gagnez par la place de la Résistance la rue de la Fontaine : empruntez l'escalier pour jouir du panorama sur le village, et notamment sur les jardins en terrasses qui s'étagent sur votre gauche.

Ci-dessous : l'église fortifiée de Saint-Avit-Sénieur (XIe-XIIIe s.) fut édifiée en l'honneur d'un ermite périgourdin, saint Avit, mort vers 570. Ce sanctuaire dominant la vallée de la Couze est inscrit sur la liste du Patrimoine mondial établie par l'Unesco.

Village pratique

Habitants : Les Caduniens.
Informations touristiques :
Point d'information touristiques,
Au fil du temps, place de l'Abbaye,
24480 Cadouin.
Tél. : 05 53 57 52 64.
Site Internet : http://www.pays-de-bergerac.com/tourisme/site_remarquable/monuments-religieux/cadouin/index.asp

Comment s'y rendre ?
• À 42 km à l'ouest de Sarlat-la-Canéda, par la D 27, puis la D 25.
• À 28 km à l'est de Bergerac par la D 29, puis la D 28.
• Gare : Le Buisson-de-Cadouin.
• Aéroport : Bergerac.

Que rapporter ?
• Du foie gras, bien sûr.
• Du vin de Bergerac ou de Montravel ; du monbazillac ou du pécharmant.
• De l'huile de noix, des gâteaux aux noix.

Autour du village

Collonges-la-Rouge

Collonges-la-Rouge porte bien son nom. Aux confins du Limousin et du Quercy,
la petite cité hérissée de tourelles scintille comme un rubis dans un écrin de verdure. Normal :
elle a été bâtie dans le grès rouge extrait d'une carrière voisine.

Ci-dessus : imposante demeure construite en 1583, le castel de Vassinhac appartenait à Gédéon de Vassinhac, seigneur de Collonges, capitaine gouverneur de la vicomté de Turenne.

À droite : au détour d'une rue, on goûte l'harmonie des couleurs entre le grès rouge des façades et l'ardoise qui couvre les toits.

En médaillon : la maison de la sirène doit son nom à la sculpture naïve qui orne l'un des piédroits de sa porte en accolade. La demeure, célèbre pour son étonnant colombage en encorbellement, date du XVIᵉ siècle. Propriété de Colette du temps de son mariage avec Henri de Jouvenel, elle abrite aujourd'hui un musée des arts et traditions populaires.

À pied, à cheval ou à dos de mulet, les voilà qui arrivent, harassés, les pèlerins en route pour Saint-Jacques-de-Compostelle. Ils vont se reposer un peu, le temps de graver leur emblème, une coquille, sur le grès du bourg, puis se remettront en marche.

DES CASTELS ÉCARLATES

On peut encore voir une statue de pèlerin de Saint-Jacques dans le village. Collonges, qui a grandi au VIIIᵉ siècle autour de son église et qui a profité au XIIIᵉ siècle des libéralités de la vicomté de Turenne dont il faisait partie, a aussi été une étape sur le chemin de Compostelle. Au XVIᵉ siècle, il est devenu un lieu de résidence et de repos pour les hauts fonctionnaires de l'illustre vicomté. C'est ainsi que de charmants manoirs, fièrement flanqués de tours et de tourelles, y ont surgi. Construits dans le grès rouge extrait d'une carrière ouverte au nord du village, ils donnent à celui-ci tout son caractère. En contrebas du bourg, le château de Benges offre aux regards sa façade à fenêtres Renaissance, tandis qu'à quelques pas le castel de Vassinhac révèle par ses échauguettes et ses meurtrières sa fonction défensive. L'ancienne maison de ville des Ramade de Friac est encadrée par deux

La vie du village

Le marché d'hier et d'aujourd'hui

Le premier dimanche d'août, dès 9 heures du matin, le marché est ouvert ! Les producteurs locaux s'affairent : c'est à qui proposera le meilleur ail ou le plus succulent foie gras de la région. Exceptionnellement, l'ancien four à pain du village reprend du service et, comme autrefois, les habitants viennent y faire cuire leur pain, tout en faisant leur marché. Animations autour du pain et dégustations sont au rendez-vous, remettant au goût du jour des traditions oubliées.

61

tours jumelles. Quant à la maison de la Sirène, qui doit son nom à la figure sculptée sur sa façade, elle est remarquable par son toit de lauzes. Les treilles et les glycines grimpant à l'assaut des porches contribuent au charme des lieux.

LA CITÉ DES NOIX

Au cœur d'une nature verdoyante de vignes et de forêts où les noyers abondent, Collonges a vécu de belles heures grâce au commerce du vin et, surtout, de l'huile de noix qui, du XVIe au XVIIIe siècle, a permis à la bourgeoisie locale de s'enrichir et de construire de belles demeures. Aujourd'hui, le village reste bien ancré dans cette tradition gastronomique et produit, outre du foie gras et des confits comme le veut la région, des gâteaux à base de noix qui sont autant d'invitations gourmandes.

Ci-dessus : dans les environs de Collonges, on récolte les noix à l'aide de grands filets. Les fruits sont utilisés en pâtisserie et pour la fabrication de l'huile et du vin de noix.

La Grange aux Oies

Dans le calme de la campagne, la Grange aux Oies vous accueille avec chaleur et bonhomie. Cette ferme de découverte propose des casse-croûtes fermiers réalisés à partir de produits totalement naturels. Vous pouvez repartir avec les succulentes et originales spécialités des maîtres de maison faites, notamment, à base de noix : huile de noix, moutarde aux noix, confiture de noix/orange/chocolat qui se déguste comme un bonbon, confiture d'oignon, foie gras, etc.

À LA DÉCOUVERTE DE COLLONGES-LA-ROUGE

Collonges se visite à pied. De l'office de tourisme, descendez la rue de la Barrière, où vous découvrirez la maison de la Sirène, l'hôtel des Ramade de Friac et le relais Saint-Jacques-de-Compostelle. Passez devant la porte Plate, rendez-vous au château de Benges, puis, revenant sur vos pas, dirigez-vous vers la Halle, dont vous admirerez la belle charpente, et rejoignez l'église. Remontez la rue de la Garde, en passant devant le castel de Vassinhac, jusqu'à la Grange aux Oies. De là, gagnez le castel de Maussac et prenez la rue Noire, l'une des plus anciennes de Collonges, jusqu'à la chapelle des Pénitents.

Des couleurs contrastées

Sculpté au XIIᵉ siècle dans du calcaire blanc, le tympan de l'église Saint-Pierre se détache sur le grès rouge de la façade. Illustrant la scène de l'Ascension, où le Christ apparaît entouré d'anges, il est bordé d'un arc brisé décoré de visages. Fortifiée au cours des guerres de Religion, cette église fut dotée d'un chemin de ronde et d'une salle de défense dans le donjon carré ce qui explique son bon état de conservation. Le clocher, qui passe d'un plan carré à un plan octogonal, est caractéristique du style roman limousin.

Village pratique

Habitants : Les Collongeois.
Office de tourisme :
Rue de la Barrière 19500.
Tél. : 05 55 25 47 57.

Comment s'y rendre
• A 21 km au sud-est de Brive-la-Gaillarde : prendre la D 38 en direction de Meyssac.
• Gare la plus proche : Brive.

Que rapporter
• Du foie gras et des confits.
• Des spécialités à base de noix : huile, moutarde...
• Un couteau de Corrèze (avec sa lame entièrement forgée et son manche en bois ou en corne).

Que voir dans les environs
• La roche de Vic, chapelle et table d'orientation.
• Turenne.
• Le gouffre de la Fage.
• Le village de Curemonte.

Autour du village

CORBIGNY

Dans un creux de la vallée de l'Anguison, à l'écart de la route de Vézelay, Corbigny
se niche au cœur d'un pays vallonné couvert de forêts et de prairies. La petite
cité, pleine de charme, est dominée par l'ancienne abbaye Saint-Léonard.

Hommes de lettres

Né à Corbigny en 1872, le poète Maurice Legrand, dit Franc-Nohain, doit sa célébrité à ses pièces de théâtre (*La Fiancée du scaphandrier, Le Drapeau chinois…*). Personnage-clé de la vie intellectuelle en France au début du XXe siècle, il fonda le groupe les Amorphes avec les écrivains Alphonse Allais, Tristan Bernard, Alfred Jarry et Jules Renard. Ce dernier, célèbre auteur de *Poil de carotte*, a vécu à Chitry-les-Mines, tout près de Corbigny, dont il a été maire de 1904 à 1910.

64

Ci-dessus : l'Anguison séparait les fortifications entourant la ville de celles qui défendaient l'abbaye. Aujourd'hui, les rives du cours d'eau sont aménagées en promenades plantées d'arbres.

Le « Guide du pèlerin de Saint-Jacques-de-Compostelle », texte latin du XIIe siècle, accuse sans détour les moines de Corbigny d'abuser les pèlerins crédules en faisant passer les reliques d'un saint inconnu pour celles d'un saint auquel les « jacquaires » vouent une très grande vénération : « Qu'ils rougissent donc de honte les moines de Corbigny qui prétendent avoir le corps de saint Léonard, tandis que ni le plus petit de ses os ni ses cendres n'ont pu en aucune façon être emportés. »

QUERELLE DE RELIQUES

Et le guide poursuit : « Les moines de Corbigny comme bien d'autres gens sont gratifiés de ses bienfaits et de ses miracles, mais ils sont privés de la présence de son corps. N'ayant pu l'avoir, ils vénèrent comme étant celui de saint Léonard le corps d'un certain Léotard, qui, disent-ils, leur fut apporté d'Anjou, dans une châsse d'argent. » Ce guide assure même que les moines auraient consacré la basilique à saint Léonard du Limousin pour

La vie du village

Théâtre pour tous

Outre les Fêtes musicales de Corbigny, qui ont passé le cap des vingt ans avec succès et attirent des interprètes de renommée internationale, les Corbigeois bénéficient tout au long de l'année d'une vie culturelle dynamique, accessible à tous les publics. Les seniors, spectateurs assidus des nombreux spectacles donnés à l'Espace des Cultures ou dans l'ancienne usine Photosac, ont également la possibilité de participer aux ateliers de pratique théâtrale de la compagnie TéATr'éPROUVèTe.

mieux tromper leur monde. Toujours est-il que, malgré la supercherie, plusieurs miracles sont constatés durant le Moyen Âge. Les pèlerins, chargés de dons et d'offrandes, affluent donc dans la petite cité située à la lisière du Morvan. Corboniacum devient Corbegni-lès-Saint-Léonard. Le bourg, entouré de murailles, jalonnées de quatorze tours et percées de cinq portes, ne cessera de prospérer jusqu'à la Révolution.

UNE ABBAYE POLYVALENTE

Construite vers 1180, terrassée par les protestants en 1561, pillée puis rebâtie, l'abbaye de Corbigny fait figure de symbole. Elle fut tour à tour haras de l'État, asile, séminaire ou, au XIXᵉ siècle et au début du XXᵉ siècle, école, puis hôpital militaire. Jusqu'en 1983, l'édifice abrita également le pensionnat Saint-Vincent-de-Paul. Aujourd'hui enfin, après la restauration des toitures, l'ancienne abbaye classée au titre des Monuments historiques en 2001 est devenue l'Espace de cultures du pays Nivernais-Morvan. Véritable poumon culturel de la région, le centre comprend un cinéma, un studio de danse et accueille de nombreux spectacles. Dans le cadre des « résidences d'artistes », les chorégraphes et leur

Ci-dessus à gauche : l'abbaye fut reconstruite au XVIIIᵉ siècle par l'architecte Michel Caristie. Les bâtiments s'ordonnent en forme de U autour d'une cour dont le centre est occupé par un puits circulaire. L'aile nord est occupée par l'église abbatiale, les ailes est et sud, dont les grandes galeries formant cloîtres, les logis de l'abbé et des moines et les espaces communautaires. À droite : les murailles qui protégeaient la ville ont disparu, mais du système de fortifications de Corbigny subsistent trois tours massives, dont celle de la Madeleine.
Ci-dessus : l'ancienne abbaye des Ursulines fut construite vers 1856.

65

Le crash de l'« Émeraude »

Le 15 janvier 1934, un avion s'écrasa aux abords de la petite cité. L'appareil, un trimoteur Dewoitine « Émeraude », assurait sa première liaison avec l'Indochine. À son bord, plusieurs personnalités tels le gouverneur général de l'Indochine et le directeur de l'Aviation civile. Tous les passagers périrent. Une association, l'Avion « Émeraude »-janvier 34, fut créée en 1999 pour commémorer le souvenir des victimes.

compagnie demeurent ainsi à l'abbaye pendant plusieurs semaines. Outre une présentation publique de leur travail de création en fin de séjour, ils animent des stages et des cours ouverts à tous. Les soirs d'été, durant les Fêtes musicales de Corbigny, les concerts donnés dans la cour de l'abbaye sont des moments véritablement féeriques.

À LA DÉCOUVERTE DE CORBIGNY

Commencez par la visite de l'église Sainte-Seine (XVIe s.), puis rejoignez l'abbaye où l'office de tourisme est installé depuis 2005. Vous traverserez l'Anguison, bordé de vieilles maisons. Une trentaine de panneaux pédagogiques ponctuent la visite de l'abbaye, des caves aux combles, encore en restauration. De là, gagnez le pont sur l'Anguison, qui offre une vue d'ensemble sur le monument ainsi que sur la dernière des tours qui jalonnaient jadis les fortifications.

À droite : le château de Villemolin, à Anthien, fut construit au XIVe siècle sur l'emplacement d'une villa gallo-romaine et remanié aux XVIIe et XIXe siècle. L'édifice, en forme de fer à cheval, est flanqué de trois tours. La chapelle de style néogothique abrite une belle Pietà du XVe siècle. Depuis 1538, la demeure appartient à la famille de Certaines.

Village pratique

Habitants : Les Corbigeois.
Informations touristiques :
Office de tourisme du Pays corbigeois, abbaye de Corbigny, 58800 Corbigny.
Tél. : 03 86 20 02 53.
E-mail : contact@corbigny.org
Site internet : www.corbigny.org

Comment s'y rendre ?
• À 50 km au sud-ouest de Nevers par la D 977.
• Gare : Corbigny.

Que rapporter ?
• De la moutarde.
• Du jambon sec du Morvan.
• Du crémant de Bourgogne.

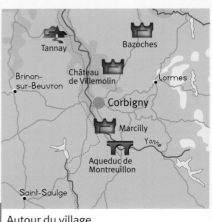

Autour du village

Noyers-sur-Serein

Lové dans un méandre du Serein, Noyers dresse ses tours rondes entre Tonnerre et Avallon,
dans le nord de la Bourgogne. De son architecture médiévale à l'air qu'on y respire,
tout contribue à l'atmosphère de sérénité si appréciée des habitants du village.

La vie du village

Un curieux lancer de boules
Au XIIIe siècle, le seigneur de Noyers décide d'accorder une exemption d'impôts à certains habitants. Au hasard, il lance une boule de fer du haut des remparts : l'endroit où elle tombera va délimiter la frontière entre les chanceux et les autres. Chaque année, le 14 juillet, les habitants commémorent ce décret en lançant à leur tour des boules en direction du vieux château, dont les fenêtres ont été prudemment protégées !

Ci-dessus à gauche : la mairie de Noyers est installée dans une belle demeure qui a la particularité de présenter une façade Renaissance sur l'arrière et une façade du XVIIIe siècle à l'avant. La place, bordée par de belles maisons, dont certaines à colombages, s'anime les jours de marché.

Chaque année, à l'Assomption, les vignerons vont en procession garnir de grappes de raisin encore vert la niche de la statue de la Vierge qui orne une porte des remparts, afin de solliciter sa protection pour les vendanges futures…

UN DÉCOR MÉDIÉVAL

Cette procession, qui existe encore de nos jours, montre combien Noyers – prononcer Noyère – est solidement ancré dans sa tradition viticole. Dans la vieille cité médiévale, blottie à l'intérieur de remparts dans lesquels s'ouvrent trois portes fortifiées, les anciennes maisons de vignerons – les pièces d'habitation se trouvaient à l'étage, et les caves s'ouvraient directement sur la rue pour faciliter le commerce du vin – côtoient toujours de fières bâtisses Renaissance. De sa physionomie d'autrefois rien n'a changé. Au fil des ruelles pavées, tout un décor médiéval surgit, composé de poutres sculptées d'animaux ou de petits personnages, d'escaliers en pierre, de tourelles et d'échauguettes. Le nom des places et des rues évoque son passé de foires et d'étape pour les pèlerins de Saint-

Des « Roses blanches » à « Félicie aussi »

Le nom de leur auteur n'évoque plus grand-chose… Mais, à l'écoute
des premières mesures de *Félicie aussi*, immortalisée par Fernandel,
ou encore des *Roses blanches*, ces grands succès de l'entre-deux-
guerres reviennent en mémoire. Ces chansons sont l'œuvre de
Charles Louis Pothier, qui habita Noyers. Une promenade en
bordure des remparts porte d'ailleurs son nom.

Ci-dessus à gauche :
maison en bois du
XVe siècle dans la rue
du Poids-du-Roy, qui a
récemment retrouvé
son pavage d'origine.
Sa façade est précédée
d'un couvert à piliers
de pierre.

À droite : sur la place du
Marché-au-Blé, la maison
du Compagnonnage est
célèbre pour ses
chapiteaux sculptés
représentant des membres
de la milice locale ainsi
que saint Crépin, patron
des cordonniers, et saint
Crépinien, patron des
savetiers.

Jacques-de-Compostelle : rue du Grenier-à-Sel, place du Marché-au-Blé, place de la
Petite-Étape-aux-Vins. Quand le soleil illumine plus précisément un pignon ou une
poutre, les yeux du visiteur s'attardent pour déchiffrer une inscription mystérieuse ou
repérer un dessin gravé ici ou là… Tout le charme d'une promenade dans ce bourg au
passé intact.

Au centre : les vieilles
plaques de rue sont
toutes décorées de
personnages qui ont
marqué l'histoire de
Noyers.

LA VIE ARTISTIQUE

Noyers-sur-Serein, qui a prêté son cadre exceptionnel à des tournages de films comme
Le Chevalier de Pardaillan de Bernard Borderie ou *Mon oncle Benjamin* d'Édouard
Molinaro, et plus récemment au *Molière* de Laurent Tirard, aurait pu rester figé dans son
décor médiéval : il n'en est rien. La vie culturelle et artistique y est particulièrement
dynamique. Chaque année, de juin à septembre, des rencontres musicales réputées où se

Un charmant musée

On accède au musée des Arts naïfs et populaires, situé dans une aile d'un ancien collège du XVIIe siècle, après avoir passé la porte d'un adorable petit jardin de curé. Abritant un cabinet de curiosités digne d'un inventaire à la Prévert, il présente surtout une importante collection d'art naïf où se côtoient grands maîtres et anonymes d'expression populaire. Un monde de poésie, d'humour et de fantaisie : on en sort le sourire aux lèvres et l'esprit rêveur.

succèdent stages musicaux et concerts y sont organisées ; associées au festival des Grands Crus de Bourgogne, elles régalent tout à la fois mélomanes et gastronomes… Ses artisans ne sont pas en reste : à en juger par les échoppes installées ici et là, enlumineurs, aquarellistes, céramistes et même un fabricant de masques en plumes rivalisent d'esprit créatif dans leurs ateliers-galeries ouverts à tous.

À LA DÉCOUVERTE DE NOYERS-SUR-SEREIN

Après avoir franchi la porte Peinte ou porte d'Avallon, dirigez-vous vers la place de l'Hôtel-de-Ville et admirez la maison Jaune et les demeures à arcades du XVe siècle. De là, rejoignez la place du Marché-au-Blé puis l'église Notre-Dame, étonnamment grande pour un si petit village. Gagnez ensuite la place du Grenier-à-Sel et la somptueuse maison du Receveur. À quelques pas, la place de la Madeleine vous mènera par la rue Franche aux fortifications. Au saut Parabin, vous aurez une jolie vue. Longez la promenade et, par le passage Hardy, revenez place du Grenier-à-Sel. En passant sous le porche d'une maison, vous déboucherez alors sur la place de la Petite-Étape-à-Vin, bordée de belles maisons à colombages.

Village pratique

Habitants : Les Nucériens.
Informations touristiques :
Syndicat d'Initiative
22, place de l'Hôtel-de-Ville
89310 Noyer-sur-Serein.
Tél. : 03 86 82 66 06.

Comment s'y rendre ?
• À 39 km d'Auxerre par l'A 6, sortie Nitry.
  Prendre ensuite la D 49 en direction de Noyers (10 km).
• Gare la plus proche : Auxerre.

Que rapporter ?
• Des vins de Chablis.
• Des liqueurs.
• Des fromages de Bourgogne.
• De l'artisanat local.

Que voir dans les environs ?
• La vallée de la Cure, grottes préhistoriques.
• Le prieuré de Vausse, cloître roman,
  chapelle du XIVe siècle.
• Le village de Montréal, bourg médiéval

Autour du village

ORCIVAL

Enchâssé dans les monts Dore, Orcival s'enorgueillit d'un des plus beaux joyaux
de l'art roman auvergnat : la basilique Notre-Dame. Mais ce chef-d'œuvre ne doit pas occulter
le patrimoine plus modeste du bourg, qui se découvre au gré des ruelles.

Un sanctuaire de pèlerinage

Bâtie suivant un plan en croix, la basilique Notre-Dame
est formée d'une large nef surmontée d'une voûte en berceau et
dominée, à la croisée du transept, par une coupole qui distribue la
lumière jusqu'au chœur. Cerné par un déambulatoire favorisant le
passage des pèlerins, ce chœur accueille la statue de la Vierge, dressée
sur une colonne monolithique. Sur les 64 chapiteaux ornant le
sanctuaire, pour la plupart décorés de feuillage, un seul est historié.
Surmonté de la mention « Foldives », il représente l'Avarice.

Ci-dessus : la flèche du
clocher de l'église fut
détruite sous la
Révolution. Elle fut
remontée au XIXe siècle,
mais raccourcie de 8 m.

Nichée dans un vallon verdoyant, la basilique d'Orcival
domine le modeste enchevêtrement des toits de lauzes
du village. L'implantation de ce chef-d'œuvre, coincé entre la
montagne et la rivière, a de quoi surprendre. Alors que l'espace
ne manquait pas, il a fallu détourner le cours du Sioulot pour
élever la basilique. Tout s'éclaire lorsqu'on apprend que le maître d'œuvre qui opéra au
XIIe siècle décida de confier le choix du site à la Vierge. Il jeta son marteau du haut de
la colline en déclarant : « Là où il tombera, nous édifierons la basilique. » Ainsi fut fait…

LA BONNE VIERGE D'ORCIVAL

Élevée d'une seule traite au début du XIIe siècle par les moines de La Chaise-Dieu, la
basilique d'Orcival, construite en andésite volcanique grise, a traversé les siècles sans
grand dommage. Au XVe siècle pourtant, un tremblement de terre menaça sa voûte et, sous
la Révolution, le clocher perdit sa flèche. C'est par le chevet, visible de loin, que se
découvre l'édifice. Les absidioles s'élèvent en cascade jusqu'à la coupole et au clocher
octogonal, qui domine la place principale du bourg.

Au gré des changements de luminosité, on découvre l'harmonieuse simplicité des volumes
propice à la concentration et à la prière. Depuis des siècles, les pèlerins affluent de toutes

La vie du village

Le jour des pèlerins

Attesté depuis le haut Moyen Âge, le pèlerinage d'Orcival réunit chaque année, le jour de l'Ascension, une foule nombreuse. Celle-ci accompagne la statue de la Vierge à l'Enfant pour une procession conduite par l'évêque de Clermont jusqu'au tombeau de la Vierge, le long d'un chemin de croix. Situé sur un petit promontoire au-dessus du village, ce « tombeau » est en fait un édicule daté de 1872 qui abrite une réplique de la statue.

Ci-contre à gauche : les maisons du villages sont construites en pierre de lave. La teinte changeante de celle-ci s'harmonise avec l'ardoise et la lauze des toitures.

Ci-dessus au centre : la célèbre Vierge d'Orcival (XIIᵉ s.) se trouve derrière le maître-autel de l'église. Cette statue de 74 cm de haut est en bois, partiellement recouvert de lames d'argent repoussées et ciselées. La Vierge, hiératique, tient entre ses genoux l'Enfant portant le livre de l'Évangile.

Ci-dessus à droite : la chapelle de la Source (XVIIᵉ s.) abrite une source réputée miraculeuse. L'intérieur de l'édifice a été décoré dans le style néogothique au XIXᵉ siècle.

parts à l'Ascension pour prier la Vierge d'Orcival, qui trône dans le chœur de l'église. Grâce aux prêtres qui la cachèrent dans le mur du narthex, cette statue en bois du XIIᵉ siècle échappa à la fureur révolutionnaire. Recouverte de vermeil et d'argent, elle est ainsi, aujourd'hui encore, la plus vénérée des Vierges auvergnates.

AU CHEVET DE LA BASILIQUE

Quelques maisons ornées de tourelles coiffées de poivrières et des hôtels anciens témoignent du riche passé de ce bourg de montagne. C'est sur la place principale, au pied de la basilique, que se concentre la vie du village, avec ses commerces, ses hôtels et ses restaurants. Malgré sa taille modeste, Orcival compte quelque deux-cent-soixante-dix habitants et accueille plusieurs bonnes tables où déguster la cuisine auvergnate. Souvent inscrite à la carte des desserts, la tarte aux myrtilles, aux accents montagnards, rappelle que ces volcans éteints et verdoyants en été se transforment l'hiver venu en vastes espaces blanchis par la neige. Les environs sont alors propices aux promenades en raquettes et au ski de fond.

À LA DÉCOUVERTE D'ORCIVAL

Débutez votre visite par la basilique. Avant d'y pénétrer, observez les murs du bras sud du transept dans lequel s'ouvre le portail d'entrée : les menottes, les chaînes et les boulets suspendus aux murs sont les ex-voto que déposaient autrefois les prisonniers remis en liberté après avoir prié Notre-Dame d'Orcival, qui était parfois aussi appelée pour cette raison Notre-Dame-des-Fers. Poursuivez par une petite promenade dans le village avant de gagner, à pied ou en voiture, le château Renaissance de Cordes, à l'extérieur du bourg.

Des roches volcaniques

Encadrant la vallée de Fonsalade, les roches Tuilière et Sanadoire constituent un des paysages exceptionnels d'Auvergne. La roche Tuilière est une cheminée volcanique qui fut longtemps utilisée comme carrière de lauzes. La roche Sanadoire est un reste de cône. Jusqu'au XVe siècle s'élevait à son sommet un château fort qui fut occupé par des bandes de routiers pendant la guerre de Cent Ans.

Un château légendaire

Décrit par Paul Bourget dans son roman *Le Démon de midi*, le château de Cordes a été bâti pour l'essentiel au XVe siècle sur les vestiges d'un château fort des XIIe-XIIIe siècles. À partir du XVIIe siècle, des travaux d'embellissement conférèrent à l'édifice un caractère plus résidentiel. De cette époque datent notamment les jardins à la française et la somptueuse allée de charmilles menant au château. La chapelle abrite le gisant d'Yves II d'Allègre, compagnon du chevalier Bayard, et un bel autel en marbre du XVIe siècle.

Village pratique

Habitants : Les Orcivaux.
Informations touristiques :
Office de tourisme, 63210 Orcival.
Tél. : 04 73 65 89 77.
E-mail : terresdomes.sancy@wanadoo.fr

Comment s'y rendre ?
• À 25 km au sud-ouest de Clermont-Ferrand
  par la D 941a et la D 216.
• Gares : Clermont-Ferrand, Laqueuille
  (TER), La Miouze-Rochefort (TER).
• Aéroport : Clermont-Ferrand.

Que rapporter ?
• Des fromages de la région :
  saint-nectaire, fourme de Rochefort, bleu
  de Laqueuille, produits dans les fermes des
  environs.
• Des confiseries auvergnates, à la Maison
  de la Confiserie.
• Des souvenirs et des produits d'Auvergne,
  Au Vieux Logis.
• Des objets de décoration.

Autour du village

Ostabat

Établi dans un cadre verdoyant et vallonné typique de la basse Navarre, Ostabat, qui a fusionné au XIXe siècle avec Asme, est le point de rencontre de trois des chemins menant à Compostelle. Fidèle à son histoire, la petite localité a conservé sa tradition d'accueil.

Ci-dessus : Ostabat présente un bel ensemble de maisons de style bas-navarrais. Elles sont reconnaissables à l'encadrement de pierre qui part de la porte d'entrée et englobe les ouvertures sur l'axe de symétrie de la façade.

La vie du village

Une culture vivante

Le centre culturel Haize-Berri, qui dispose de deux salles, organise chaque année en été une exposition d'art contemporain en milieu rural mettant à l'honneur des artistes basques. Une autre exposition annuelle, qui se tient au mois de mars, est consacrée au dessin humoristique. Dans le dessein de mieux faire connaître le patrimoine local, le centre propose également durant les mois d'été des visites commentées du village, de jour comme de nuit.

À quelques kilomètres au nord d'Ostabat, la stèle de Gibraltar, érigée au pied du mont Saint-Sauveur, signale le carrefour entre trois des quatre chemins qu'empruntaient autrefois les pèlerins se rendant à Compostelle : la via Turonensis, partant de Tours ; la via Lemovicensis, au départ de Vézelay ; et la via Podiensis, qui débute au Puy-en-Velay. Bien que la stèle ne se trouve pas sur son territoire, nombreux sont les historiens qui, à l'instar des Izuratar (nom donné aux habitants d'Ostabat, appelé Izurata en langue basque) considèrent que la commune constitue le véritable carrefour entre les différentes voies.

LE VILLAGE DES PÈLERINS

Aujourd'hui, qu'ils empruntent le célèbre GR 65 à pied, à cheval ou en VTT, les randonneurs (quelque neuf mille pèlerins par an) continuent à faire étape à Ostabat, où des gîtes, plusieurs cafés, des chambres chez l'habitant et des auberges les accueillent. Au temps des Romains, déjà, le village, situé en bordure de la voie reliant Bordeaux à

Ci-contre : Ostabat s'inscrit au cœur d'un paysage typique de la verdoyante Navarre. Le village est situé dans la vallée de la Bidouze, affluent de l'Adour.

Une discrète chapelle

Le prieuré d'Harambeltz est mentionné dès 1059. Seul vestige de cet ensemble, qui comptait également un hôpital, la chapelle fut bâtie au XIIᵉ siècle. Cet édifice de plan allongé, à chevet plat, arbore au-dessus de sa porte d'entrée un tympan orné d'un chrisme, d'une croix de Malte et d'une étoile à cinq branches. À l'intérieur, les murs sont décorés de lambris peints. Un retable du XVIIᵉ siècle abrite des sculptures en bois représentant saint Nicolas entouré de la Vierge et de saint Jacques. Un programme de restauration de la chapelle a débuté en 2008.

Astorga, en Espagne, était un lieu de passage. Mais c'est à partir du Moyen Âge, avec l'essor du pèlerinage de Saint-Jacques-de-Compostelle, que son importance s'affirme : au XIIIᵉ siècle, son seigneur remodèle le bourg selon un plan régulier rappelant celui de certaines bastides et l'entoure d'une enceinte doublée de fossés et percée de deux portes. Durant sa période la plus faste, Ostabat compte un hôpital, une vingtaine d'hôtelleries et plusieurs chapelles. Placée sous le patronage de saint Nicolas, celle que l'on peut voir au hameau d'Harambeltz, à quelque distance du bourg, est le seul vestige d'un prieuré-hôpital dont l'administration était assurée de manière héréditaire par des donats, laïcs se dévouant au service des pèlerins. Les maisons entourant le sanctuaire sont toujours habitées par les familles de leurs descendants, qui en assurent l'entretien en commun.

Ci-dessus à gauche : de nombreuses maisons du village sont ornées de linteaux sculptés. Celui de la maison du forgeron Barca est daté de 1825. On y distingue le buste du propriétaire ainsi que son bâton de compagnon et ses outils.

UN CHARME PRÉSERVÉ

Bien que l'enceinte médiévale ait disparu, Ostabat, réaménagé en 2008, a conservé beaucoup de caractère avec ses vieilles maisons typiquement navarraises à linteaux sculptés, alignant leur porte d'entrée et les fenêtres de leur travée centrale dans un même encadrement de pierre, sa mairie, construite sur l'emplacement d'une halle fondée au XVIe siècle, dont ne subsistent que les arcades, et son fronton de pelote jouxtant l'église. Placée sous le patronage de saint Jean-Baptiste, celle-ci fut bâtie au XIXe siècle pour remplacer le sanctuaire initial, qui s'élevait hors des remparts. Son clocher, couronné d'une flèche d'ardoise, semble signaler l'approche du village aux randonneurs d'aujourd'hui, lointains héritiers des pèlerins d'autrefois…

À LA DÉCOUVERTE D'OSTABAT

Commencez votre visite par le centre du village, où vous verrez l'église paroissiale Saint-Jean-Baptiste (XIXe s.) ainsi que plusieurs maisons anciennes. En vous dirigeant vers le sud, vous atteindrez le hameau d'Asme (beau cimetière) et le château de Laxague (visible depuis l'extérieur). Revenez sur vos pas, dépassez Ostabat et, en empruntant le trajet du GR 65, gagnez le hameau d'Harambeltz, où se trouve la chapelle Saint-Nicolas. Vous pouvez continuer le chemin qui vous mènera à la stèle de Gibraltar et à la chapelle de Soyarza, dédiée à la Vierge Marie. Depuis le petit sanctuaire, sis en hauteur, une très belle vue s'offre sur la chaîne des Pyrénées.

Ci-dessus : la chapelle Saint-Nicolas-d'Harambeltz arbore au-dessus de son portail d'entrée un chrisme surmonté d'une croix de Malte et d'une étoile à cinq branches.

Les vestiges de la puissance

Situé à l'écart du village, le château de Laxague était au Moyen Âge propriété d'une puissante famille dont l'un des membres les plus célèbres fut Pées de Laxague (mort en 1393), chambellan du roi Charles II de Navarre. Datant en majorité du XIVe siècle, mais remanié au XVe et au XVIe siècles, l'édifice se compose d'un corps de logis aux murs épais, percés de meurtrières, et d'une enceinte, dont l'un des angles est flanqué d'une tour-porche comptant trois niveaux.

Village pratique

Habitants : Les Izuratar.
Informations touristiques :
Mairie, 64120 Ostabat-Asme.
Tél. : 05 59 37 83 93.
Office de tourisme de la Basse Navarre,
place Charles-de-Gaulle,
64120 Saint-Palais.
Tél. : 05 59 65 71 78.

Comment s'y rendre ?
• À 19 km au nord-est de Saint-Jean-Pied-de-Port par la D 933, puis la D 508.
• Gare : Saint-Jean-Pied-de-Port.
• Aéroport : Biarritz-Anglet-Bayonne.

Que rapporter ?
• Des vins d'AOC irouléguy.
• Du fromage de brebis.

Autour du village

SAINT-JEAN-DE-CÔLE

Rassemblant ses jolies maisons rurales autour de son église romane, Saint-Jean-de-Côle
séduit par son patrimoine médiéval et la beauté de son cadre naturel. Situé en pleine campagne, sur les rives
de la Côle, le petit bourg est réputé pour ses Floralies.

Ci-dessus : les halles sont adossées au chevet de l'église. Elles devaient faire office, comme en Sologne, de « caquetoire » pour les habitants du village.

La vie du village

Invasion florale
Chaque année depuis 1981, lors d'un week-end début mai, se déroulent les Floralies, une grande fête des fleurs qui attire plusieurs milliers de visiteurs et une centaine d'exposants. Un thème différent est imposé tous les ans. Le village disparaît alors sous les compositions et les créations florales en tout genre. L'église, dont la décoration nécessite trois semaines de préparation, est au cœur de l'événement.

Ci-dessus : le château de la Marthonie fut construit au XIIᵉ siècle et reconstruit au XVᵉ siècle pour remplacer le premier édifice, incendié par les Anglais. Au XVIIᵉ siècle, on adjoignit au « vieux château », qui fut la résidence de Mondot de La Marthonie, conseiller de Louise de Savoie, la mère de François Iᵉʳ, une aile perpendiculaire de style classique, couverte de combles à la Mansart.

Tandis que les eaux de la rivière bruissent légèrement près de l'ancienne maison du meunier, quelques visiteurs se perdent dans les ruelles avant de découvrir le château de La Marthonie, majestueux avec ses tours couronnées de mâchicoulis, l'église et l'ancien prieuré augustinien. Cet ensemble de vieilles pierres confère tout son cachet au village, qui se réveille chaque printemps grâce à une éclatante fête des Fleurs.

AUTOUR DU PRIEURÉ

Saint-Jean-de-Côle s'est développé autour d'un important prieuré, fondé par l'évêque de Périgueux à la fin du XIᵉ siècle, et dont les possessions et l'influence s'étendaient jusqu'à Limoges. Les seize chanoines qui suivaient la règle de saint Augustin furent dispersés durant la guerre de Cent Ans quand le village fut occupé par les troupes anglaises (1394-1404). Les bâtiments religieux (excepté l'église Saint-Jean-Baptiste) et l'impressionnant château médiéval furent alors en partie détruits. Après les ravages des guerres de Religion, la demeure seigneuriale fut complétée par un édifice plus bas, de style Grand Siècle.

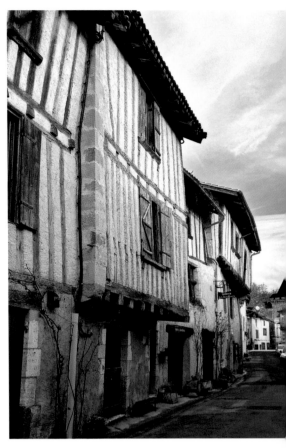

Des artisans dynamiques

Installée près du vieux pont et de l'ancienne maison du meunier, la boutique Ideca propose une très grande variété de produits textiles pour la décoration (tissus, coussins, rideaux…), dans un cadre original et chaleureux puisque l'on peut aussi y manger et y prendre un verre, à l'intérieur ou en terrasse. La galerie de la Dame blanche, située dans la rue du Fond-du-Bourg, propose, quant à elle, un grand nombre de peintures et d'objets artisanaux.

Au XVIIᵉ siècle, des moines occupèrent de nouveau le prieuré, jusqu'à la Révolution, époque où le bâtiment devint propriété privée.

UN CADRE ENCHANTEUR

Avec sa halle rustique adossée à l'église, ses ruelles tortueuses où se serrent des maisons à colombages (XIVᵉ-XVᵉ s.) coiffées de toits en vieilles tuiles ocre et sa belle église romane dotée d'un imposant clocher carré qui jouxte le cloître et l'ancien prieuré, le petit bourg est doté d'une architecture rurale merveilleusement préservée. On peut d'ailleurs découvrir l'ensemble du village lors de visites commentées (en juillet, août et septembre). Du vieux pont médiéval en dos d'âne qui enjambe la Côle, on jouit d'ailleurs d'un superbe panorama sur tout le bourg. Grâce à ses toits patinés par le temps, il a été lauréat du concours des plus beaux toits de France. La commune offre également de nombreuses possibilités de randonnées, le long de la rivière, sur la voie verte (ancienne voie ferrée aménagée en promenade à travers les villages de la région), dans les collines, où l'on profite des points de vue sur la campagne et sur le village, ou en empruntant le GR 436. Les amateurs de pêche se retrouvent aussi à la pisciculture de Fon Pépy, lieu réputé pour son étang

Ci-dessus à gauche : le vieux pont roman du XVᵉ siècle enjambe la Côle. À l'une de ses extrémités s'élève la maison du meunier.

À droite : les maisons à colombages couvertes de tuiles brunes datent pour la plupart du XIVᵉ siècle. Elles contribuent au charme du petit bourg.

Curiosité architecturale

L'église Saint-Jean-Baptiste (XIe s.) était l'ancienne église du prieuré. Elle surprend par sa haute et courte nef en une travée, couverte par un plafond de bois, par son imposante coupole et son massif clocher percé de baies. À l'intérieur, on peut admirer des boiseries et des peintures du XVIIe siècle et, surtout, de magnifiques chapiteaux sculptés dans la chapelle droite et dans le chœur. Le sanctuaire sert d'appui à la vieille halle marchande qui devait autrefois tenir lieu de caquetoire.

poissonneux. Début mai, les Floralies attirent de nombreux visiteurs dans le bourg, et enfin, en été, des concerts de musique classique animent régulièrement l'église.

À LA DÉCOUVERTE DE SAINT-JEAN-DE-CÔLE

Partez du centre du village, visitez l'église Saint-Jean-Baptiste, joyau de l'art roman, et admirez le château et le prieuré (visites en groupe). Prenez ensuite la rue du Fond-du-Bourg, bordée de maisons à colombages. Flânez dans les petites rues, puis dirigez-vous vers le vieux pont qui enjambe la Côle, empruntez-le, notez l'ancien moulin abbatial et arrêtez-vous à L'Heure d'été, où vous pourrez prendre un verre en terrasse. Enfin, vous vous baladerez dans la campagne ou sur les berges de la rivière.

Ci-dessous : l'abbaye de Brantôme fut fondée au VIIe siècle par Charlemagne. Lieu de pèlerinage très fréquenté, car elle abritait les reliques de saint Sicaire, elle fut saccagée par les Normands et reconstruite au XIe siècle. Au XVIe siècle, l'abbé Pierre de Mareuil, oncle du célèbre chroniqueur Brantôme, effectua d'importants travaux sur les bâtiments conventuels (aujourd'hui occupés par les services de la commune). Le clocher de l'église abbatiale, édifié au XIe siècle, est édifié sur un rocher abrupt de 12 m de hauteur.

Village pratique

Habitants : Les Jean-Côlois.
Informations touristiques :
Syndicat d'initiative de Saint-Jean-de-Côle, place du Château, 24800 Saint-Jean-de-Côle.
Tél. : 05 53 62 14 15.
Site internet :
www.ville-saint-jean-de-cole.fr
E-mail : si.stjean@wanadoo.fr

Comment s'y rendre ?
• À 41 km au nord de Périgueux par la D 939 et la D 78.
• Gare : Thiviers.

Que rapporter ?
• Du miel, de l'huile de noix, de l'hydromel.
• Du vin (bergerac) à l'effigie de Saint-Jean-de-Côle.
• Des produits artisanaux : tissus, rideaux, coussins, bougies...

Autour du village

Saint-Palais

Aux frontières du Pays basque et du Béarn, l'ancienne capitale de basse Navarre reste
fidèle à sa vocation commerçante et à sa tradition. Environnée de calmes collines et de rivières poissonneuses,
c'est une destination idéale pour des vacances dédiées à la nature.

Ci-dessus : le fronton est
le théâtre de nombreuses
parties de pelote basque.

84

Ci-dessus :
les imposantes maisons
carrées de Saint-Palais
possèdent souvent
colombages et balcons.
Elles témoignent de
l'importance passée de
l'ancienne capitale de
Basse Navarre.

Les randonneurs qui contemplent entre deux collines, au sud de Saint-Palais, la croix discoïdale dite de Gibraltar suivent les traces des anciens pèlerins de Compostelle. Savent-ils que la stèle marque un carrefour où les trois routes de Tours, de Vézelay et du Puy se rejoignaient avant le passage de Roncevaux ?

ANCIENNE CAPITALE DE LA NAVARRE

Dernier bourg de plaine avant que les collines basques ne cèdent le pas aux cimes pyrénéennes, Saint-Palais est une étape majeure du pèlerinage autant qu'un point de départ idéal pour de nombreuses randonnées. Mais les jacquets des premiers temps n'y faisaient pas halte : le bourg ne fut fondé par le roi de Navarre qu'à la fin du XIIe siècle. La ville neuve, iriberri en basque, reçut le nom de Pelayo (Pelage), martyrisé à Cordoue deux siècles plus tôt. Créée à l'intention des voyageurs, elle se développa rapidement. En 1351, elle reçut le droit de battre monnaie ; au XVe siècle, Jean d'Albret lui accorda le droit de tenir des foires et marchés. Ils subsistent aujourd'hui : marché aux agneaux en

Ci-contre à gauche : la stèle hélicoïdale dite de Gibraltar donnait jadis aux pèlerins l'orientation des chemins de Compostelle.

Ci-contre : l'église Sainte-Marie-Madeleine fut remaniée au XIXe siècle. elle abrite un orgue du célèbre facteur Aristide Cavaillé-Coll.

Force basque

Sous ce nom collectif de la force basque sont rangés une dizaine de « sports » nés des travaux de la ferme – et des défis entre villages – qui gardent tout leur poids dans la tradition locale : lever de la charrette, tir à la corde (la discipline reine), lever de la botte de paille, course au sac de blé, scieurs de bois, etc. Depuis 1951, Saint-Palais leur consacre en août un festival auquel participent chaque année quelque cent cinquante colosses basques et quelque deux mille à trois mille aficionados.

hiver, foire aux chevaux à Pâques…

Quand le royaume de Navarre perdit son versant espagnol, au début du XVIe siècle, Saint-Palais en devint le centre administratif et, après son rattachement à la France en 1620, demeura siège de la sénéchaussée.

85

UN CENTRE TRÈS COMPACT

À l'origine clos de remparts – sur l'actuelle rue Gambetta –, le village s'étirait au bord de la Bidouze, au sud du pont d'où l'on domine l'ancien moulin royal. Le long de la rue du Palais-de-Justice s'alignent les maisons anciennes, arborant balcons ou colombages sur leurs façades blanches égayées par des volets rouges : là se trouvaient l'hôtel des monnaies (un étroit passage couvert porte encore ce nom) et la maison du roi, perchée sur la rivière, tour à tour sénéchaussée et gendarmerie. Non loin, la vieille église Saint-Paul, refaite au XIXe siècle, fut aussitôt convertie en tribunal, puis en temple. En face, la maison dite des Têtes, ornée de médaillons figurant notamment les derniers Albret couronnés, garde à l'abri de sa porte cochère les vestiges d'élégances passées. Hors les murs, le centre s'est développé en carré entre l'église Sainte-Marie-Madeleine, haut et mince édifice néogothique, la grande halle – Saint-Palais reste un

La vie du village

Les fêtes de la Madeleine
Les fêtes patronales au Pays basque ne sont pas une mince affaire ! Celle de Saint-Palais, en juillet, dure cinq jours, durant lesquels chacun arbore les bérets, cintas (ceintures) et foulards rouges des Basques ou bleus du village. Défilés de bandas, tournois de pêche, de pétanque, de rugby ou de pelote, apéritifs multiples, feux d'artifice et toro de fuego (une parodie pyrotechnique de la corrida) se succèdent sans interruption…

Le musée de basse Navarre

Le musée de Saint-Palais occupe un espace situé derrière la mairie. Plusieurs salles y sont consacrées à l'histoire et aux traditions populaires locales et régionales, ainsi qu'à celle du pèlerinage à Compostelle, avec notamment un diaporama. On y voit également des meubles et des outils anciens, des reproductions de beaux linteaux gravés et une série de stèles discoïdales typiquement basques.

carrefour commercial important – et l'indispensable fronton de pelote basque, ombragé de tilleuls. Au centre, un discret mais remarquable trinquet (ou jeu de paume) dont la charpente est signée Eiffel. À l'opposé, la pittoresque rue de la Bidouze était jadis réservée aux « cagots », caste d'exclus dont l'origine reste un mystère, et que l'on assimilait à tort aux lépreux.

À LA DÉCOUVERTE DE SAINT-PALAIS

Vous trouverez la rue du Palais-de-Justice à gauche de l'hôtel de ville, sur la place Charles-de-Gaulle qui fait face au pont. Suivez-la jusqu'au croisement avec la rue Gambetta et revenez vers le centre par celle-ci. Passé l'église Sainte-Madeleine, prenez à gauche pour rejoindre la rue du Fronton. Au cœur du carré central, la salle du trinquet se cache derrière l'hôtel du même nom (qui en garde la clef). Traversez la place du Foirail pour rejoindre l'actuel marché ; vous retrouverez la rue de la Bidouze sur la droite.

Ci-dessous : niché au cœur d'un paysage verdoyant typique de la Basse Navarre, Ostabat était jadis une halte réputée pour les pèlerins en route vers Saint-Jacques-de-Compostelle. Le village a conservé toute son authenticité avec ses maisons traditionnelles typiquement navarraises et son église étincelante de blancheur, qui jouxte le fronton de pelote.

Village pratique

Habitants : Les Saint-Palaisins.
Informations touristiques :
Office de tourisme de Basse Navarre,
place Charles-de-Gaulle,
64120 Saint-Palais.
Tél. : 05 59 65 71 78.
Fax : 05 59 65 69 15.

Comment s'y rendre ?
• À 60 km au sud-est de Bayonne,
  par les D 312 et D 21 (ou la D 22, dite route
  des Cimes) jusqu'à Hasparren, puis la D 14.
• Gare : Puyoo.

Que rapporter ?
• Du fromage (tomme de brebis et de vache).
• Des toiles et du linge rayé d'Ona Tiss.
• Du foie gras et du confit de canard.

Autour du village

Treignac

« Trois portes, trois faubourgs et trois châteaux » : telle est la devise de Treignac, charmant village établi au bord de la Vézère. Au fil de ses ruelles, son riche patrimoine témoigne d'une longue prospérité qui profite aujourd'hui de l'essor du tourisme vert.

Ci-dessus : la halle aux grains a été reconstruite au XVe siècle. L'édifice, dont la charpente repose sur douze piliers en pierre de taille, abrite sous son toit l'ancienne remise pour les poids et mesures, curieusement appelée « cage aux lions ».

Ci-dessus : le portail gothique de la maison Lachaud-Sangnier. Cette demeure appartint au célèbre avocat bonapartiste Charles Lachaud (1817-1882), défenseur de Mme Lafarge, issu d'une vieille famille de notables de Treignac, puis à son petit-fils, Marc Sangnier (1873-1950), le fondateur du Sillon.

À la fin du XVe siècle, Treignac est un bourg florissant où vivent de nombreux protestants. Passée aux mains de Louis de Pompadour, la cité devient l'un des enjeux de la Contre-Réforme. En 1585, le comte met le feu à l'immense forêt des Monédières, embrasant sur 80 km châteaux, villages et récoltes, et provoquant ainsi la fuite de centaines de huguenots.

DU TEMPLE À LA COQUILLE

Des trois temples protestants du village rien ne subsiste ; à Treignac, le regard est inlassablement attiré par les symboles de la foi catholique – églises, chapelles et croix monumentales. Un peu partout, des coquilles sculptées ornent les frontons des maisons qui accueillaient autrefois les pèlerins en route pour Saint-Jacques-de-Compostelle. La coquille guide aujourd'hui les pas du visiteur qui emprunte le circuit du Patrimoine, mis en place par l'office de tourisme. Le long des ruelles en pente, depuis l'église romane Notre-

Ci-contre à gauche : la porte Chabirande est la seule qui subsiste des trois entrées fortifiées du village. Cette porte, autour de laquelle restent quelques vestiges de remparts, faisait communiquer le bourg avec le quartier des Bans et avec le pont sur la Vézère.

À droite : l'ancienne chapelle des Pénitents (XVIIᵉ s.) est l'actuelle église paroissiale. L'édifice abrite un riche mobilier et de nombreux objets, en majeure partie du XVIIᵉ siècle (bannières et croix de procession, statues en bois polychrome, châsses...).

La vie du village

Souvenirs d'antan

Ouvert de juillet à la fin d'août, un petit musée ethnographique est installé dans la maison de Marc Sangnier, dont la famille maternelle était originaire de Treignac. Orné de portes en ogive et de fenêtres à meneaux, ce bel édifice Renaissance accueille sur trois étages de nombreux objets régionaux (meubles, outils agricoles et forestiers) qui permettent de découvrir le mode de vie des Corréziens d'autrefois.

La tour-belvédère

Non loin de la mairie, une haute tour de pierre coiffée d'une poivrière abrite l'ancien escalier à vis d'un hôtel particulier du XVIᵉ siècle, démoli au XXᵉ siècle. Depuis son sommet, on jouit d'un beau panorama sur le village et ses faubourgs ainsi que sur le massif des Monédières. La butte qui accueille l'église paroissiale Notre-Dame-des-Bans et qui correspond à l'ancienne basse cour du château médiéval, offre un second point de vue sur Treignac et son enchevêtrement de toitures.

Dame-des-Bans jusqu'à la chapelle des pénitents du XVIIᵉ siècle, se succèdent les maisons de style Renaissance, avec leurs portes décorées et leurs fenêtres à meneaux. Non loin du vieux pont gothique enjambant la Vézère, la porte Chabirande est le dernier vestige des fortifications qui, du XIIIᵉ au XIXᵉ siècle, enserraient la ville. Plus loin, la chapelle Notre-Dame-de-la-Paix dresse son curieux clocher tors hexagonal couvert d'ardoises.

UN BOURG DYNAMIQUE

Perpétuant une tradition séculaire, la vieille halle aux grains reconstruite au XVᵉ siècle accueille chaque mardi et samedi matin le marché et, durant l'été, des manifestations culturelles. Non loin de là, la place de la République est investie par une grande foire consacrée au vin en juillet et au pain début août. Fin août, Treignac célèbre le jazz, lors de son festival inauguré en 2000. À cette époque, gîtes, hôtels et campings affichent souvent complet, car, outre son riche patrimoine, le bourg bénéficie de l'attraction

Une mairie dans une chapelle

Élevée en 1626 sur l'emplacement d'un ancien cimetière, la chapelle Notre-Dame-de-la-Paix fut désaffectée sous la Révolution avant d'accueillir la mairie en 1808. Surmonté d'un lanternon, son clocher est l'un des quatre-vingt et un clochers tors recensés en Europe : au lieu de suivre une ligne droite jusqu'au sommet, les huit pans de la flèche suivent une ligne en spirale. La chapelle accueille aujourd'hui les réunions du conseil municipal, et l'on y célèbre les mariages civils.

qu'exercent le lac des Bariousses et sa plage aménagée, où se pratiquent la pêche, la voile, le canoë et la baignade. Le 14 juillet et le 15 août sont l'occasion d'un spectacle pyrotechnique et laser au-dessus de ses eaux.

À LA DÉCOUVERTE DE TREIGNAC

Depuis l'office de tourisme, dirigez-vous vers l'église Notre-Dame-des-Bans et jusqu'à l'esplanade où s'élevait autrefois le château. Regagnez le vieux centre en passant par la place des Farges. Empruntez la rue du Docteur-Fleyssac : la maison Lachaud, magnifique bâtisse Renaissance, abrite le musée des Arts et Traditions populaires. Jetez un coup d'œil aux vieilles halles et à la chapelle Notre-Dame-de-la-Paix. Poursuivez votre chemin par la rue de la Garde, bordée de maisons du XVIe siècle, puis par la rue de la Borde avec ses maisons plus tardives à colombages. Ne quittez pas le village sans avoir visité le Comptoir du chocolat, à l'extérieur du vieux centre, une entreprise familiale fondée en 1905.

Ci-contre : le lac des Bariousses, qui s'étend sur 100 ha, est situé à 4 km de Treignac. Ce lac de barrage possède une base de loisirs où il est possible de louer des canoës, des kayaks et des pédalos. Il dispose d'une plage où la baignade est surveillée durant les deux mois d'été.

Village pratique

Habitants : Les Treignacois.
Informations touristiques :
Office de tourisme,
1, place de la République,
19260 Treignac. Tél. : 05 55 98 15 04.

Comment s'y rendre ?
• À 63 km au sud-est de Limoges
  par les D 979, D 12 et D 16.
• À 58 km au nord-est de Brive-la-Gaillarde
  par la D 44 et la D 940.
• Aéroports : Limoges, Brive-Laroche.
• Gares : Limoges (TGV), Uzerche.

Que rapporter ?
• Du boudin aux châtaignes,
  des andouillettes.
• Du chocolat artisanal au Comptoir
  du chocolat Borzeix.

Autour du village

VARZY

Ancienne résidence des évêques d'Auxerre, Varzy fut une importante étape sur la route de Saint-Jacques-de-Compostelle. À proximité des forêts du Nivernais, le paisible bourg conjugue richesses culturelles et naturelles.

Ci-dessus : le château des évêques d'Auxerre, devenu communal, compte deux corps de bâtiments ainsi qu'une tourelle polygonale abritant un escalier. L'aile est date du XVᵉ siècle et la partie centrale du milieu du XVIIIᵉ siècle.

Ci-dessus : deux lavoirs à auvent de bois se font face de part et d'autre d'une pièce d'eau. Leurs dimensions étaient en rapport avec la population de Varzy sous l'Ancien Régime : le village comptait près de trois mille habitants, contre environ mille quatre cents aujourd'hui.

Varciacus, petit village de l'époque gallo-romaine, doit son nom au Var, un ruisseau qui prend sa source dans le bas du bourg. Depuis ses origines, c'est un important lieu de dévotion. Au Vᵉ siècle, Germain, évêque d'Auxerre, fait construire un premier oratoire à l'emplacement du temple gaulois établi à l'époque au-dessus de deux sources du village.

SUR LA ROUTE DE SAINT-JACQUES-DE-COMPOSTELLE

L'installation précoce des évêques d'Auxerre permet le développement rapide du village, qui prend le nom de Varzy et compte plus de trois mille habitants au XVIIIᵉ siècle… contre moitié moins aujourd'hui. En 920, le pape Jean X fait don à l'évêque Gaudry des reliques de sainte Eugénie, une jeune martyre du Iᵉʳ siècle, qui donne alors son nom à un lieu de culte et aux sources. La présence de plusieurs reliques dans la collégiale Sainte-Eugénie imprime une nouvelle impulsion à l'expansion de Varzy, qui devient, dès

Une église préservée

Épargnée par les outrages du temps, l'église Saint-Pierre (XIII° s.), bel exemple de gothique rayonnant, renferme toujours un précieux trésor riche de quatorze reliquaires. Conservé dans une chambre forte près du chœur, il comprend en particulier deux bras appartenant à sainte Eugénie et à saint Regnobert, évêque de Bayeux, ainsi qu'un coffre contenant le crâne de ce dernier (XII° s.), objets de fervents pèlerinages au Moyen Âge.

La vie du village

Musique vivante

Le musée Grasset abrite un très beau salon de musique qui groupe une vingtaine d'instruments anciens, parmi lesquels une épinette de Jean Denis (1667), une serinette, ancêtre de l'orgue de Barbarie, signée Gavot fils (1763) et une balalaïka russe (XIX° s.). Ces instruments restaurés sont présentés au public lors d'un parcours sonore qui les dévoile tour à tour, mais aussi tout au long de l'année lors de rencontres musicales de qualité.

Ci-dessus à droite : l'église Saint-Pierre conserve, parmi ses nombreux trésors issus de la collégiale, deux triptyques. Celui du chœur, œuvre de l'École flamande du XVI° siècle, relate des épisodes de la vie de sainte Eugénie : cachée dans un couvent sous un déguisement d'homme, elle fut accusée de viol et dut ouvrir sa tunique pour prouver son innocence. Dans le collatéral droit, un autre triptyque, datant du XVIII° siècle, représente des scènes de la vie de saint Pierre.

Ci-dessus à gauche : devant l'église Saint-Pierre trône la statue de Dupin Aîné, qui fut président de la Chambre des députés (1832-1837), puis de l'Assemblée législative en 1848, et membre de l'Académie française. Issu d'une famille de notables de Varzy, il était le frère du mathématicien Charles Dupin (1784-1873).

le XII° siècle, une étape de choix pour les pèlerins en route vers Compostelle. Au XV° siècle, les évêques d'Auxerre font rebâtir leur château à côté de la collégiale Sainte-Eugénie, qui demeure leur résidence favorite jusqu'à la Révolution.

LE CHARME RÉVÉLÉ

Autrefois ceint de remparts, Varzy s'est développé aux abords de la collégiale Sainte-Eugénie et du château des évêques d'Auxerre, situés aujourd'hui dans la partie basse du bourg. Le village se dévoile à celui qui sait se donner la peine de le découvrir. Certaines constructions contemporaines, comme le nouveau bâtiment du musée Grasset (1993) dont les façades austères ne laissent guère deviner les merveilles qu'il renferme, tranchent singulièrement avec les ruelles aux maisons serrées, agrémentées de lucarnes à capucine, aux toits pentus couverts de tuiles sombres souvent envahies par la mousse, et avec les

93

Un amateur éclairé

Inspecteur des Monuments nationaux et ami de Prosper Mérimée, Auguste Grasset (1799-1879) collectionna toute sa vie les objets les plus variés. Ces trésors (quelque quatre mille pièces) sont rassemblés dans le musée qui porte son nom. Les visiteurs ont tout loisir d'y découvrir, suivant un parcours chronologique, des collections qui vont de l'archéologie égyptienne aux civilisations du Pacifique Sud, des arts populaires et des instruments de musique, à la sculpture et à la peinture.

imposantes demeures patriciennes qui révèlent l'opulence du passé. Les anciennes fortifications ont laissé la place à des boulevards et offrent d'agréables occasions de promenade.

À LA DÉCOUVERTE DE VARZY

Commencez la visite au départ de la partie basse du village, mail des Grandes-Promenades. Sur la droite, dans la rue du Chapitre, vous passerez devant le château des évêques d'Auxerre, puis devant les vestiges de l'église Sainte-Eugénie. Prenez à gauche la rue de la Fontaine-Sainte-Eugénie pour atteindre l'ancien lavoir, véritable carte postale de Varzy. Tournez à droite, puis à gauche, pour atteindre l'église Saint-Pierre. Derrière se trouve la statue de Dupin Aîné (1783-1865), figure politique locale. Poursuivez face à vous dans la rue Delangle qui abrite l'ancien couvent des franciscains (XVIᵉ s.). Sur la gauche, rue des Forges, découvrez l'ancien couvent des clarisses (au n° 6) et la maison de la famille Dupin (au n° 8). Sur la droite, place de la Mairie, se dresse le musée Grasset.

Ci-dessous : le château de Menou a été construit à partir de 1672 sur l'emplacement d'une ancienne forteresse féodale et remanié au XIXᵉ siècle. Communs et grille d'entrée du XVIIIᵉ siècle.

Village pratique

94

Habitants : Les Varzycois.
Informations touristiques :
Office de tourisme de Varzy
et de sa région, 8, rue Delangle,
58210 Varzy.
Tél. : 03 86 29 74 08.

Comment s'y rendre ?
• Par la N 151 depuis Auxerre.
• Gare : Varzy-Bourg.
• Aéroport : Auxerre.

Que rapporter ?
• Des produits du terroir : vins locaux (pouilly), fromages (crottin de Chavignol), confiseries (Négus de Nevers)...
• Des faïences nivernaises et des poteries de la Puisaye.

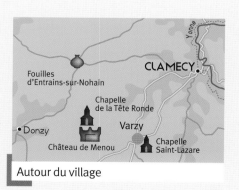

Autour du village

Vézelay

Haut lieu de la Chrétienté, Vézelay reste la « colline inspirée ». Aux portes de la Bourgogne, la petite cité perchée n'a pas fait trop de concessions au tourisme et sa célèbre basilique accueille toujours les pèlerins sur le chemin de Compostelle.

La vie du village

Une communauté dynamique
Depuis 1993, une communauté mixte de la Fraternité monastique de Jérusalem anime ce haut lieu spirituel. Voués à la fois à la vie contemplative mais aussi à l'accueil des visiteurs, ces moines et moniales pleins de foi et d'enthousiasme organisent de nombreux stages de violon, de cithare, de poterie, d'art floral ou encore d'enluminure médiévale. Ils gèrent deux hôtelleries pour les pèlerins sur la route de Saint-Jacques ou pour ceux qui désirent faire une retraite dans ce lieu hautement spirituel.

Ci-dessus : l'œil plonge dans la perspective des voûtes de la basilique. Les chapiteaux sculptés étaient comme des livres ouverts pour les pèlerins en route sur le chemin de Compostelle.

« Lumineux sommet où Vézelay se lève, solide et autoritaire comme l'acte de foi de la contrée » : depuis le Moyen Âge, la basilique Sainte-Madeleine, la pécheresse repentie, attire les voyageurs qui contemplent son tympan et ses chapiteaux comme un livre d'images…

LA BIBLE EN SCULPTURE

On pourrait rester des heures à admirer le tympan du portail central de la basilique. Destiné à frapper l'imagination de ceux qui entraient ensuite dans le sanctuaire, il résume à lui seul l'enseignement biblique, autour du Christ en majesté. Depuis le XIe siècle, quand les reliques de sainte Madeleine y sont déposées, la basilique attire des pèlerins de tous les horizons. En 1146, le célèbre saint Bernard y prêche la seconde croisade et de nombreux rois de France y viennent en pèlerinage. Ravagés lors des guerres de Religions, puis durant la Révolution, les bâtiments monastiques et l'abbaye disparaissent entièrement, à l'exception de l'église, devenue basilique. Fortement restaurée par Viollet-le-Duc au XIXe siècle, elle a conservé une unité de styles, mêlant un roman tardif à un gothique naissant. Son joyau est bien la haute nef ponctuée de fines et sombres colonnes menant jusqu'au chœur éclatant de lumière. D'avril à septembre, des concerts retentissent sous ses voûtes.

Ci-contre et ci-dessous : Vézelay est encore en partie ceint de remparts, offrant une ravissante promenade à pied entre jardinets et vieilles pierres : puits, escaliers en encorbellement, écussons, linteaux sculptés et fenêtres à meneaux y sont légion.

Un vignoble né à l'époque gallo-romaine

La présence de vignes est attestée dès l'époque romaine dans la région de Vézelay. L'implantation d'un monastère au IXe siècle leur donne un essor qui atteint son apogée au XVIIIe siècle. Après avoir été ravagé par le phylloxéra en 1884, le vignoble est replanté. Il obtient, en 1988, l'appellation « Bourgogne » et en 1997, l'appellation « Bourgogne-Vézelay ». Ses cépages sont le Chardonnay, le Melon et le Pinot noir.

Ci-dessus à gauche : la basilique veille sur le village bourguignon qui égrène ses vieilles maisons le long de la colline, aux portes du parc régional du Morvan.

PÈLERINS ET VIGNERONS

Au pied de la basilique se déploie le village étirant ses vieilles maisons de vignerons de part et d'autre d'une rue centrale. Classé au Patrimoine mondial de l'unesco, Vézelay a réussi la gageure d'accueillir des milliers de visiteurs chaque année tout en restant authentique. Rien de trop léché dans les façades de pierre envahies par la glycine, où se succèdent portes sculptées, fenêtres à meneaux et escaliers en tourelles. Les caves, qui servaient autrefois de refuge aux pèlerins, ont été transformées en restaurants ou caves de dégustation

Le musée de l'œuvre Viollet-le-Duc

À partir du reste du cloître, détruit à la Révolution, un escalier mène à deux anciennes salles de l'abbaye qui abritent des sculptures médiévales provenant de la basilique ainsi que des moulages. Ces œuvres témoignent de l'importance des restaurations effectuées au XIXᵉ siècle, notamment celle de la façade de la basilique, réalisée par Viollet-le-Duc.

de vins : on peut y découvrir les meilleurs crus de Bourgogne. À partir de la basilique, une promenade permet de découvrir les restes des anciens remparts jalonnés de tours rondes et les jardinets émergeant des maisons.

À LA DÉCOUVERTE DE VÉZELAY

À partir du champ de foire, empruntez la rue principale qui grimpe jusqu'à la basilique. Inauguré en 2006, le musée Zervos abrite la riche collection d'art moderne du fondateur de la revue *Les cahiers d'art*. De là, rejoignez la terrasse de l'ancien château (panorama), puis débutez la promenade des remparts vers le nord avant de revenir jusqu'au parking des Ruesses.

Village pratique

Habitants : Les Vézeliens.
Office de tourisme :
12, rue Saint-Étienne 89450 Vézelay
Tél : 03 86 33 23 69.
Site internet : vezelaytourisme.com

Comment s'y rendre
- À partir d'Avallon par la D 957.
- Gare SNCF TGV : Avallon.

Que rapporter
• Des produits monastiques.
• Des vins de Bourgogne.
• Du miel, de la confiture,
  des produits du terroir.

Que voir dans les environs
• Saint-Père-sous-Vézelay, église gothique.
• Pierre-Perthuis, église du XIIᵉ siècle.
• Le château de Bazoches, XIIᵉ siècle.
• Le site des Fontaines salées,
  thermes gallo-romains.
• Le parc naturel régional du Morvan.

Autour du village

ROUTE DU PUY-EN-VELAY

Aumont-Aubrac
MENDE
FLORAC

LOZÈRE – RÉGION LANGUEDOC-ROUSSILLON

AUMONT-AUBRAC

Bien connu des pèlerins de Saint-Jacques-de-Compostelle, ce village entre Aubrac
et Margeride ouvre une porte sur le Gévaudan mystérieux. Devenu capitale de l'ancienne
baronnie de Terre de Peyre, Aumont-Aubrac s'applique à développer un tourisme vert.

Ci-dessus à gauche :
l'église Saint-Étienne
associe les styles roman
et gothique. Sa nef,
éclairée par des vitraux
modernes, est rythmée
par des colonnes dont les
chapiteaux sont sculptés
de têtes humaines.

102

À droite : Aumont fut dès
le Moyen Âge une étape
sur le chemin de
Compostelle.
Les sentiers autour
du village sont jalonnés
de croix votives et de
calvaires.

âton à la main et sac au dos, ils sont des milliers chaque année à émerger fourbus des collines de la Margeride, après avoir emprunté depuis le Puy-en-Velay la célèbre via Podensis, le chemin de Compostelle. Randonneurs mystiques ou profanes, ils mettent ainsi leurs pas dans ceux des pèlerins de jadis, et, après une halte au village, montent par les drailles herbues vers l'Aubrac. Là, les forêts où s'embusquaient naguère loups et brigands, depuis longtemps défrichées, ont fait place à un horizon infini et désert : la partie la plus rude, mais la plus saisissante du voyage.

LA PORTE DE L'AUBRAC

Le village est, par vocation, une étape. Sa situation s'y prête : antique carrefour entre la via Podensis et la via Agrippa (entre Lyon et Toulouse), Aumont-Aubrac s'est développé le long de la nationale 9 ; la nouvelle autoroute A 75 le contourne au plus juste ; depuis 1884, sa gare dessert tout l'Aubrac. À 1 000 m d'altitude, à mi-chemin des solitudes du plateau et du moutonnement des collines de la Margeride, il a également mérité le label de station verte. Mais, à l'origine, aux alentours de l'an mil, il n'y avait là qu'un prieuré fortifié, baptisé *Altus Mons*, qui signifie montagne élevée, autour duquel se développa un village. Le tout appartenait aux barons de Peyre, dont le donjon se dressait sur le roc du même nom à une dizaine de kilomètres au sud, et qui comptaient parmi les plus puissants des huit barons du Gévaudan. La maison dite de l'Ancien Prieuré ne

Ci-contre à gauche : la façade de l'ancien prieuré est percée de petites ouvertures et d'une belle fenêtre à simple meneau et à traverse.

À droite : une niche abrite un petit oratoire dédié à la Vierge, sur la façade d'une maison particulière. On remarque en dessous une pierre gravée représentant des initiales entrelacées.

La vie du village

Accordéon de printemps

Depuis plus de dix ans, la Lozère fête les beaux jours au son du piano à bretelles. Chaque année, le Printemps de l'accordéon, festival itinérant – l'idéal dans un département où la population est clairsemée et les déplacements malaisés – fait escale à Aumont-Aubrac. Avec un programme de concerts, bals et ateliers musicaux volontairement hétéroclite, où se marient sans complexe jazz, rock, folk, chanson française et occitane…

Maquignons matois

Si les Aumonais portent le curieux surnom de Berduros – « roublards », en occitan –, c'est peut-être pour leur habileté de marchands de bestiaux. Au temps où vaches et chevaux se négociaient âprement sur le foirail, au cœur du village, ils étaient passés maîtres dans l'art de mettre leurs bêtes en valeur, tressant et fleurissant queues et crinières, dessinant des damiers sur les robes, graissant les sabots, arquant les encolures en soufflant aux naseaux un filet de fumée…

remonte probablement qu'au XVe siècle. Après avoir servi de grange et de cave d'affinage, elle abrite désormais, derrière sa belle façade de granit restaurée et son porche en arc brisé, l'office de tourisme.

UN PATRIMOINE MODESTE

Mentionnée dans les archives dès le XIIe siècle, l'église Saint-Étienne a connu bien des vicissitudes : guerre de Cent Ans, guerres de Religion, Révolution… Derrière ses murs de pierre nue, ses contreforts massifs et ses ouvertures parcimonieuses qui lui donnent un air de forteresse, elle cache un chœur roman en cul-de-four et une nef à croisées d'ogives dotée de deux chapelles vis-à-vis. Le clocher, surélevé en même temps que la toiture de lauzes au XIXe siècle, fut ajouté en 1637. La coquille Saint-Jacques en relief qui surmonte les trois arches toutes simples du portail date d'une rénovation effectué en 1994, mais contribue à son cachet médiéval. À noter encore, la pietà surmontant une pierre gravée dite « mystérieuse », faute d'en connaître l'origine, et une jolie fontaine ronde ornée d'une bête du Gévaudan, œuvre de ferronniers d'art de la région. Depuis 2002, Aumont-Aubrac possède le label « Village-Étape ».

Trucs à connaître

Un « truc », en langue d'oc, est un petit sommet, une bosse de terrain. La Lozère en regorge : trucs de l'Homme, de Fortunio, du Midi, de Balduc, de Grèves… Celui d'Aumont-Aubrac s'appelle truc del Fabre. Se dressant au bout de la place du Foirail, il offre sur le village une vue imprenable. Un Christ Roi de 4 m de hauteur y a été érigé en 1946 : ex-voto géant célébrant la fin d'une guerre qui, par chance, ne fit aucune victime dans la paroisse.

Ci-dessous : formé de trois corps de bâtiment en équerre délimitant une cour intérieure, le château de La Baume, à Prinsuéjols, est surnommé « le Petit Versailles du Gévaudan ». Construit vers 1630 par Antoine de Grolée, seigneur de Peyre, l'édifice, entouré de splendides jardins, fit à la fin du XVIIe siècle l'objet d'une première campagne de transformations. Celle-ci fut commanditée par César de Grolée, lieutenant général du roi en Languedoc, qui fit appel à des artisans locaux pour réaliser les décors intérieurs. En 1710, le château, agrandi, fut doté de splendides boiseries.

À LA DÉCOUVERTE D'AUMONT-AUBRAC

Le village initial ne s'étendait guère que de l'église à l'actuelle mairie : c'est là, le long de la rue du Prieuré, que vous trouverez la pietà et devinerez sur les plus anciennes maisons les portails en arche et les fenêtres à meneaux qui ne demandent qu'à être mis en valeur. Après la place du Portail, où se trouve la fontaine, vous traverserez la nationale pour gagner la place du Foirail, où le marché se tient tous les vendredis, et le truc del Fabre.

Village pratique

Habitants : Les Aumonais.
Informations touristiques :
Office de tourisme de la Terre de Peyre,
maison du Prieuré,
48130 Aumont-Aubrac.
Tél. et fax : 04 66 42 88 70.
Site internet : www.ot-aumont-aubrac.fr

Comment s'y rendre ?
• À 40 km au sud de Saint-Flour par l'A 75.
• Gare : Aumont-Aubrac.

Que rapporter ?
• Une coquille Saint-Jacques en bois, chez le sculpteur de la place du Foirail.
• Un couteau, à la boutique Tradition du laguiole.
• Des charcuteries primées de la maison Boulet : fromage de tête, jambonneau ou manouls (tripoux).
• Des fromages fermiers (dont la tomme destinée à l'aligot).
• Des fougasses.

Autour du village

Tarn-et-Garonne – Région Midi-Pyrénées

Auvillar

Perché sur un promontoire dominant la Garonne, Auvillar accueille depuis des siècles
les pèlerins en route vers Compostelle. Cet ancien village fortifié a gardé un charme particulier
avec sa belle halle circulaire, ses ruelles pavées et ses maisons en brique.

106

Ci-dessus à gauche : la place de la Halle est bordée de belles maisons, la plupart construites aux XVIIᵉ et XVIIIᵉ siècles, qui présentent toutes au rez-de-chaussée une galerie à arcades.

À droite : la porte donnant accès à la vieille ville est dominée par la tour de l'Horloge, élégante construction en pierre et en brique datant de la fin du XVIIᵉ siècle. La cloche du campanile provient de l'ancienne église des Jacobins.

« **S**i vilain sur terre, seigneur sur l'eau je suis », cette devise des mariniers d'Auvillar traduit bien l'ancienne importance du port aménagé au bord de la Garonne au pied du village. Depuis l'époque romaine, le fleuve, qui rejoint la mer à Bordeaux, permet le transport des marchandises et l'enrichissement des habitants du bourg. Au Moyen Âge, les vicomtes d'Auvillar, installés dans leur château dominant le fleuve, prélèvent un droit de péage au passage de chaque embarcation.

DES FÊTES SOUS LA HALLE

Sur l'emplacement du château féodal, détruit en 1572, s'étend aujourd'hui une esplanade d'où la vue est imprenable sur la vallée de la Garonne bordée de peupliers. Croisade contre les albigeois, guerre de Cent Ans et guerres de Religion ont déchiré la région au fil du temps. Le village s'en est relevé : il a conservé son charme ancien avec ses maisons en brique et à pans de bois des XVIᵉ et XVIIᵉ siècles, et son église Saint-Pierre, ancien prieuré rattaché à l'abbaye de Moissac. Maintes fois remanié, ce vaste édifice accueille de nombreux concerts. Mais le monument le plus attachant d'Auvillar reste la ravissante halle aux grains circulaire, édifiée en 1824 au centre de la place à couvert triangulaire. Sous ses colonnes à l'allure toscane se tiennent les marchés fermiers du dimanche matin. Toute l'année, repas, concerts et brocantes s'y succèdent jusqu'au féerique marché nocturne de Noël.

La vie du village

La fête de la Saint-Noé

Chaque week-end qui suit la Pentecôte, Auvillar célèbre les traditions locales lors d'une grande fête du vin. Repas gourmand sous la halle, procession nocturne des arbudets (lanternons) et plantation d'un arbre de mai. Le dimanche, messe occitane avec bénédiction de produits locaux et cortège des vignerons jusqu'à l'esplanade du château, où l'on partage un grand tourin à l'ail avant un dernier bal folklorique.

Ci-dessus à gauche : cette vénérable maison en brique et à pans de bois, dont le dernier étage est occupé par une galerie en encorbellement, date du XVIe siècle.

Ci-dessus à droite : l'église est placée sous le patronage de saint Pierre. L'édifice, qui dépendait au XIIe siècle d'un prieuré bénédictin, fut plus tard affecté à la paroisse.

Ci-contre au centre : la tour de l'Horloge abrite sur deux niveaux les collections du musée de la Batellerie. Auvillar, où un péage existait déjà en 1204, fut, jusqu'au XIXe siècle, un important port de commerce sur la Garonne.

L'ART AU CŒUR DU VILLAGE

Place de la Halle, à côté de la mairie et de l'office de tourisme, le musée d'Art et Traditions populaires présente une riche collection des faïences qui firent la renommée d'Auvillar et d'émouvants ex-voto peints par les marins. Non loin du pittoresque restaurant Le Baladin, ateliers de poterie et de calligraphie voisinent avec la Galerie A7, où exposent en saison peintres et sculpteurs. En juillet, les artistes envahissent les rues lors de la manifestation « Viens peindre Auvillar ». En août se tient la Semaine musicale et, en octobre, le traditionnel marché potier. Dans le quartier réhabilité du port, un nouveau centre culturel, le Moulin à nef, permet à des artistes américains – peintres, sculpteurs, écrivains – de découvrir la région et la vie locale.

Ci-contre : le château de Gramont fut élevé au XIVe siècle sur l'emplacement d'un ancien château fort dont il reste une tour. Il s'agrandit au XVIe siècle d'un corps de logis Renaissance, qui renferme un remarquable escalier à vis dépourvu de noyau central.

À LA DÉCOUVERTE D'AUVILLAR

Passez sous la tour de l'Horloge, construite en pierre et en brique sous Louis XIV, et visitez le musée de la batellerie avant de continuer vers la place de la Halle. Prenez le temps de flâner et de découvrir les ateliers d'artistes ou les œuvres de la Galerie A7, avant de rejoindre l'esplanade du château pour admirer la vue. Rendez-vous ensuite à l'imposante église Saint-Pierre, puis regagnez la tour de l'Horloge en passant devant le palais des Consuls et la petite rue Obscure. Revenez vers la place de la Halle et descendez à gauche la rue des Nobles où s'élevait jadis la maison de Bertrand de Goth, devenu le pape Clément V. Continuez à descendre vers la Garonne jusqu'à la chapelle Sainte-Catherine et le moulin à Nef.

Faïences et plumes d'oie

Dès le XVIIe siècle, deux industries assurent la prospérité des Auvillarais. La plus connue est la fabrication de faïences dont certaines sont aujourd'hui très recherchées par les collectionneurs. L'autre activité, la transformation de plumes d'oie destinées à la calligraphie, était également fort lucrative. Le port du village, qui voyait passer environ trois mille bateaux par an, permettait d'acheminer ces produits vers Toulouse ou Bordeaux.

Village pratique

Habitants : Les Auvillarais.
Informations touristiques :
Office de tourisme, place de la Halle,
82200 Auvillar.
Tél. : 05 63 39 89 82.
Site internet : www.auvillar.net
et www.auvillar.com

Comment s'y rendre ?
• À 30 km au sud-est d'Agen par l'A 62 et à 70 km au nord-ouest de Toulouse, sortie no 8, Auvillar-Valence-d'Agen.
• Gare : Valence-d'Agen.
• Aéroports : Agen ou Toulouse.

Que rapporter ?
• Des fleurs naturelles séchées et des produits du terroir.
• Des savons parfumés.
• Des couteaux d'art et des coupe-cigares.

Autour du village

Conques

Protégé par ses vieux remparts, Conques est d'une beauté à couper le souffle. Au spectacle des flèches de son abbatiale romane émergeant des toits du vieux village, on se prend à revivre l'émerveillement des pèlerins de Compostelle venus se recueillir, ici, sur les reliques de sainte Foy.

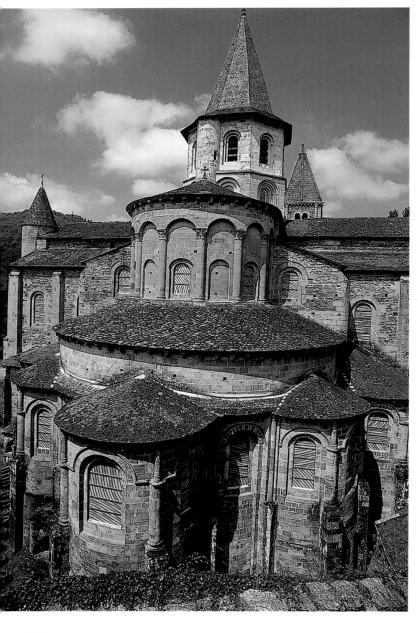

110

Ci-dessus à gauche : le chevet de Sainte-Foy est une pure splendeur de l'art roman. Ses vastes proportions permettaient au sanctuaire d'accueillir des centaines de fidèles.

À droite : les tourments de l'Enfer sculptés sur le tympan du portail ouest de l'église étaient destinés à effrayer les fidèles... Pas moins de 124 personnages y sont immortalisés dans la pierre, ils symbolisent le combat du Bien contre le Mal.

Cent-vingt-quatre personnages immortalisés dans la pierre : d'une main, le Christ bénit les élus, de l'autre, il repousse les damnés. À ses pieds, les morts sortent de leur tombeau. Plus bas encore, Abraham accueille les élus sous les arcades de la Jérusalem céleste : cette page d'histoire biblique inscrite sur le tympan de l'abbatiale doit émerveiller mais aussi faire trembler les pèlerins du Moyen Âge…

UN VOYAGE AU CŒUR DU MOYEN ÂGE

Pour celui qui souhaite retrouver l'esprit du lieu, rien de plus facile que de placer ses pas dans ceux des pèlerins de l'an Mil. Développé sur ce site austère en forme de coquille (d'où son nom issu du latin *concha*) échancrée par le torrent de l'Ouche et dominant la vallée du Dourdou, Conques a conservé sa physionomie d'autrefois. Percées de portes fortifiées et flanquées de plusieurs tours, les murailles protègent toujours ce village situé au nord du Rouergue. Dans les ruelles pavées, bordées de belles maisons à façades à pans de bois, on reste ébloui par la variété des matériaux utilisés, schiste bleuté, grès rose, calcaire mordoré, qui s'entremêlent avec tant d'harmonie.

L'ABBATIALE, CŒUR DU VILLAGE

Dès la fin du IXᵉ siècle, Conques, à l'origine un modeste ermitage transformé en monastère carolingien, doit sa renommée à l'arrivée des reliques d'une jeune martyre du

Les fontaines publiques

Conques conserve aujourd'hui encore plusieurs fontaines de l'époque romane. Toutes conçues sur le même modèle et accessibles depuis la rue par une ouverture en plein cintre, elles sont alimentées par une eau de source captée par une canalisation de pierre qui se déverse dans un réservoir souterrain maçonné. Les « vertus admirables » de l'eau de la fontaine du Plô, située en contrebas de la place de l'abbatiale, étaient déjà vantées dans un guide destiné aux pèlerins du XIIe siècle !

Ci-dessus à gauche : schiste gris pour le rez-de-chaussée, torchis et colombages pour l'étage, schiste brillant pour le toit : les vénérables maisons de Conques jouent avec les matériaux...

À droite : de belles maisons de pierres rougeâtres, couvertes de toits de lauzes, se succèdent à travers les pittoresques ruelles. Conques conserve son aspect moyenâgeux tel que l'ont connu les pèlerins en route pour Saint-Jacques-de-Compostelle.

règne de Dioclétien, sainte Foy, acquises par les moines. Les miracles se multiplient et les pèlerins affluent dans ce lieu devenu bientôt une étape de la via Podensis, l'une des quatre routes françaises du chemin de Saint-Jacques de Compostelle. Toute l'activité se concentre alors autour de l'église, agrandie puis reconstruite entre 1030 et 1125. L'abbatiale Sainte-Foy est considérée aujourd'hui comme un chef-d'œuvre de l'art roman : inscrit au Patrimoine mondial de l'Unesco, cet impressionnant vaisseau de pierre a été soigneusement restauré. Il attire tout au long de l'année une foule de visiteurs et de pèlerins sur la route de Compostelle, éblouis par ses chapiteaux historiés, son tympan sculpté et ses vitraux réalisés en 1994 par l'artiste Pierre Soulages, un enfant de la région, et dont le sobre style contemporain s'accorde particulièrement avec l'atmosphère de recueillement du lieu.

À LA DÉCOUVERTE DE CONQUES

Après avoir visité l'abbatiale Sainte-Foy et le Trésor, au cœur du village, descendez la rue Charlemagne, entièrement pavée et bordée de belles maisons à encorbellement et à colombages ; elle conduit à la porte du Barry au-delà de laquelle se situait autrefois le principal faubourg de la ville. En route, faites une halte au Fournil du Pèlerin, une délicieuse pâtisserie. Au nord de la place de l'Église, dépassez le carrefour du Monument aux Morts pour découvrir le quartier du château d'Humières (XVᵉ-XVIᵉ siècles) et la porte de la Vinzelle, par laquelle les pèlerins quittaient la ville. En redescendant par la rue du Couvent, qui abritait le couvent des sœurs de l'Union (XVIIᵉ siècle), vous trouverez la rue Emile-Roudié, autrefois rue Haute, siège de la résidence Dadon, l'ancien hôpital Sainte-Foy (XVIIIᵉ siècle).

Le Trésor de Conques

Constitué au fil des siècles par les dons des puissants et des innombrables pèlerins, le Trésor présente un ensemble unique au monde de pièces d'orfèvrerie datant du Haut Moyen Âge, en particulier de reliquaires qui rappellent l'importance du culte des reliques dans l'Occident médiéval. L'un des plus saisissants est sans doute la « Majesté de sainte Foy » (Vᵉ-XIXᵉ siècles), une statue-reliquaire siégeant sur un trône, recouverte d'or et incrustée de pierres précieuses. C'est le plus ancien exemple de statue-reliquaire conservé en Occident.

La vie du village

Une vie culturelle intense

Le village médiéval offre des circuits de randonnées pédestres sur le chemin de Saint-Jacques-de-Compostelle ou de petites randonnées, ponctuellement des randonnées accompagnées et thématiques, des concerts, du théâtre, des conférences Histoire et histoire de l'art, des marchés nocturnes tous les étés et le rendez-vous annuel des festivités religieuses de Sainte Foy au mois d'octobre, ainsi que des manifestations temporaires.

Village pratique

Habitants : Les Conquois.
Office de Tourisme :
Rue du Moine-Dadon
12320 Conques.
Tél : 0 820 820 803.
Site internet : www.conques.fr

Comment s'y rendre ?

- D 601 et D 901.
- Gares SNCF de Rodez, Viviez ou Saint-Christophe-Vallon.
- Aéroport de Rodez-Marcillac.

Que rapporter ?

- Des couteaux : ceux de Laguiole et ceux, très originaux, de Jean-Louis Leguerniel, à découvrir dans sa boutique de coutellerie d'art.
- Des vins de Marcillac.
- Des produits monastiques.

Que voir dans les environs ?

- Le site du Bancarel : à 3 km au sud de Conques, superbe point de vue sur tout le village.
- Rodez.
- La vallée du Lot.
- Point de vue de la croix du Pargadou.

Autour du village

Eauze

Au sein de vignobles qui dévalent les pentes de douces collines, Eauze a gagné le statut
de capitale de l'Armagnac. Dynamique, cette ancienne cité gallo-romaine devenue bastide au Moyen Âge
possède aujourd'hui de nombreux atouts pour attirer les visiteurs.

Ci-contre : la place d'Armagnac est le cœur de la bastide. Toute pimpante avec ses façades couleur pastel agrémentées de colombages, elle abrite sous ses couverts boutiques et cafés-restaurants.

Le trésor d'Eauze

En 261, deux habitants d'Elusa, Libo et son épouse, décident de mettre à l'abri leurs biens les plus précieux. Protégés dans des sacs de cuir, vingt-huit mille pièces de monnaie et une cinquantaine d'objets (bijoux en or ornés de perles et de pierres précieuses, lingots et cuillères d'argent) sont enfouis dans le sol. Le musée présente l'intégralité de ce trésor ainsi que de nombreuses autres découvertes : statues, mosaïques et sarcophages de la ville gallo-romaine.

Le 18 octobre 1985, Eauze, riche d'un long passé, a une nouvelle fois rendez-vous avec l'histoire. À la fin d'une longue journée de labeur, les archéologues qui travaillent dans le secteur de la gare mettent au jour l'un des plus incroyables trésors découverts au cours de ce siècle : vingt huit mille pièces de monnaie ainsi que le contenu d'une cassette datant du IIIᵉ siècle de notre ère.

DE L'ELUSA GALLO-ROMAINE À LA BASTIDE MÉDIÉVALE

La région riveraine de la Gélise est alors occupée par le peuple des Élusates, que César mentionne dans La Guerre des Gaules. Alliés aux Sotiates, ils résistent longtemps aux armées du légat Publius Crassus. Vainqueurs, les Romains fondent au Iᵉʳ siècle apr. J.-C. l'antique Elusa, qui devient au IIIᵉ siècle la capitale de la Novempopulanie. Plusieurs notables importants voient le jour dans la cité, à l'image de Rufin, ministre de l'empereur Théodose Iᵉʳ (379-395) exécuté pour avoir pactisé avec les Wisigoths. Ces envahisseurs venus du Nord soumettent la cité au IVᵉ siècle, avant les Francs deux siècles plus tard. Les invasions sarrasines vers 724, puis normandes au IXᵉ siècle, anéantiront enfin cette ville qui comptait à son apogée plus de dix mille habitants. Forum, théâtre et thermes disparaissent, et la cité perd son statut d'archevêché. La renaissance débute avec la

Ci-contre à gauche : le clocher octogonal de la cathédrale Saint-Luperc semble veiller sur le bourg. Le sanctuaire doit ses vastes proportions aux nombreux pèlerins qui, durant tout le Moyen Âge, s'y arrêtaient avant de poursuivre leur route vers Saint-Jacques-de-Compostelle.

Ci-contre : Eauze trône au milieu du vignoble d'armagnac, la bastide doit une grande part de sa réputation à cette fameuse « aygue ardente » et ses chais connaissent un franc succès dès la belle saison.

Cœur de cité

La place d'Armagnac forme le cœur de la bastide médiévale. Quelque peu dénaturée par son actuelle fonction de parking, elle est bordée au nord par la cathédrale et sur ses autres côtés par des maisons sur arcades des xve et xvie siècles. Parmi les plus remarquables figurent celle abritant l'office de tourisme (XVe s.) ou encore la maison dite de Jeanne d'Albret (XVIe s.). Propriété de la famille d'Albret, elle accueillit à plusieurs reprises le futur Henri IV et sa mère.

construction d'un monastère bénédictin vers 980. C'est à partir de ce nouveau noyau, situé sur une colline à l'ouest de la ville antique, que naît un nouveau bourg, au XIIIe siècle, sous le nom d'Eauze, superbe bastide au tracé régulier.

LA CAPITALE DE L'ARMAGNAC

Au cœur de l'ancienne cité médiévale s'élève la cathédrale Saint-Luperc. Édifiée au XVe siècle, cette basilique néogothique est située sur un point haut du bourg, qu'elle domine de son clocher octogonal. L'édifice, aux proportions remarquables, devait pouvoir accueillir les nombreux pèlerins en route vers Saint-Jacques-de-Compostelle qui faisaient étape à Eauze (de l'hospice Saint-Jacques ne subsiste que la chapelle). On accède à l'intérieur de la cathédrale depuis la place d'Armagnac que bordent de vénérables maisons à arcades, avec colombages sculptés et remplissages en torchis ou en brique. Avec son étage

La vie du village

Eauze ardente
Située au cœur du vignoble d'armagnac, Eauze est la capitale de l'« aygue ardente ». La foire à l'eau-de-vie, qui se tient tous les ans à l'Ascension, est une époque idéale pour découvrir la cité et visiter les nombreux chais installés sur la commune. Autre période festive : le début du mois de juillet, lorsque la feria s'empare de la petite cité gersoise lors des Fêtes d'Eauze. Ou encore en août lors du festival de la BD…

Ci-contre : la petite cité gersoise abrite des arènes qui font vibrer les habitants d'Eauze à chaque feria.

en encorbellement, la maison dite des Consuls (XVᵉ s.), l'une des plus remarquables, se situe non loin de la mairie et du musée qui lui fait face. Inauguré en 1995, celui-ci est installé dans un bâtiment qui, au XIXᵉ siècle, accueillait une banque.

À LA DÉCOUVERTE D'EAUZE

La muraille élevée au XVᵉ siècle pour protéger la bastide, avec son chemin de ronde et son fossé, a profondément marqué le bourg actuel : les boulevards qui délimitent le cœur historique d'Eauze suivent son tracé. Depuis la place d'Armagnac, bordée de maisons anciennes et d'agréables cafés en terrasse, vous accéderez à la cathédrale. Gagnez ensuite la place Saint-Taurin qui abrite des vestiges du cloître bénédictin, puis bifurquez rue Bistouquet pour accéder à la mairie et au musée. Incontournable, il présente le trésor d'Eauze dans son intégralité. Prolongez la découverte du village par la visite des chais d'armagnac et des arènes.

Ci-dessous : le splendide chevet à absidioles de l'église abbatiale de Flaran témoigne de l'émouvante austérité de l'art cistercien. Fondée en 1151, l'abbaye connut une histoire mouvementée durant les guerres de Religion et au moment de la Révolution avant d'être rachetée par le conseil général du Gers. Elle abrite aujourd'hui un centre culturel.

Village pratique

Habitants : Les Élusates.
Informations touristiques :
Office de tourisme, place d'Armagnac,
32800 Eauze.
Tél. : 05 62 09 85 62.
E-mail : office.tourisme.eauze@wanadoo.fr
Site internet : www.eauze.net

Comment s'y rendre ?
• À 70 km au sud-ouest d'Agen par la D 931.
• Gares : Marmande, Agen.

Que rapporter ?
• De l'armagnac vieilli en fûts de chêne.
• Du floc de Gascogne, apéritif local à base d'armagnac et de jus de raisin.
• Des vins de pays, blancs, rouges ou rosés.
• Du foie gras.

Autour du village

Espagnac-Sainte-Eulalie

Situé sur la rive gauche du Célé, Espagnac est bâti autour d'un ancien prieuré,
dont subsistent l'église et une partie des bâtiments conventuels. Le hameau de Sainte-Eulalie abrite
aussi une église, qui servait de halte aux pèlerins en route pour Compostelle.

La vie du village

Chemin faisant

Espagnac est situé sur le trajet du GR 651, qui parcourt toute la vallée du Célé jusqu'à son confluent avec le Lot, près de Bouziès. Ce chemin, qui permet de découvrir de nombreux sites, dont les grottes fortifiées de Corn, constitue une variante du GR 65, le célèbre chemin de Saint-Jacques-de-Compostelle. Espagnac a développé ses capacités d'hébergement à destination des randonneurs. Une fête anime le village à la fin du mois d'août.

118

Ci-dessus à gauche : cette tour d'entrée est l'un des seuls vestiges de l'enceinte qui protégeait le prieuré et les bâtiments édifiés tout autour. La porte ogivale permet de dater cette construction du XIIIe siècle. La couverture a été modifiée, faisant disparaître les créneaux qui existaient dans la partie supérieure.

À droite : l'église fut pillée sous la Révolution.
Il n'en reste que le chœur et une partie de la nef.

Le visiteur qui arrive à Espagnac ignore sans doute qu'il a pénétré dans l'Hébrardie. Il ne s'agit pas là d'un royaume ignoré, mais du vaste territoire, couvrant la majeure partie de la vallée du Célé, que contrôlait au Moyen Âge une puissante famille de la région, celle des Hébrard de Saint-Sulpice, coseigneurs de Cajarc.

UN « PARADIS » BIEN NOMMÉ

C'est un membre de cette prestigieuse lignée, Aymeric, évêque de Coimbra, au Portugal, qui, dans les années 1280, fait reconstruire, à l'abri des crues du Célé, le prieuré Notre-Dame-de-Val-Paradis. Fondé en 1145 par un moine augustinien, Bertrand de Griffeuille, ce prieuré accueillera une communauté de chanoinesses en 1211 et connaîtra un grand essor à partir de la fin du XIIIe siècle. Sorti très endommagé de la guerre de Cent Ans, l'ensemble, relevé et restauré, conservera sa vocation conventuelle jusqu'à la Révolution. Autrefois entouré d'une muraille dont subsistent des vestiges ainsi qu'une ancienne porte fortifiée abritant aujourd'hui un gîte rural, le village aux maisons coiffées de tuiles s'est

Une accueillante église

L'église Sainte-Eulalie dépendait d'un petit prieuré masculin,
fondé en 974, dont la vocation était d'accueillir les pèlerins. L'édifice
actuel, construit au XIIe siècle, est de style roman. Il se composait à
l'origine d'une nef unique, en partie voûtée, à laquelle furent ajoutées au
XIXe siècle deux chapelles destinées à abriter une sacristie et un presbytère.
Le clocher comporte deux cloches, qui sonnaient en alternance pour
guider les pèlerins à la nuit tombée.

développé au pied des bâtiments du prieuré, s'ordonnant autour du cloître, dont il reste
une gracieuse galerie à arcades, et de l'église. Reconstruit au XVe siècle dans le style
gothique, l'édifice arbore un chevet pentagonal flanqué au sud d'un étonnant clocher à
colombages de bois et de brique que coiffe une mince tour carrée couverte de lauzes, sur
le modèle des pigeonniers qu'on rencontre si fréquemment dans la campagne quercynoise.
À l'intérieur du sanctuaire on peut admirer trois gisants, dont celui d'Aymeric d'Hébrard,
ainsi qu'un remarquable retable dans lequel s'inscrit une peinture représentant
l'Assomption attribuée à Simon Vouet.

LES TRÉSORS DU CAUSSE

Logé dans un méandre du Célé, le paisible village, entouré de collines boisées, fait face
à une falaise rocheuse dans laquelle s'ouvre une grotte ornée de peintures rupestres et
abritant une source dont l'eau était réputée guérir les enfants rachitiques. Sur le causse,
où subsistent quelques caselles, constructions de plan conique à usage d'étable et parfois

Ci-dessus à droite : dans
l'église d'Espagnac se
trouvent le tombeau
sculpté et le gisant
d'Aymeric Hébrard de
Saint-Sulpice, qui fonda
le prieuré.

À gauche : la cazelle de
Coste Pialade fut bâtie
dans la première moitié
du XIXe siècle. Cet abri en
pierres sèches servait de
bergerie (au rez-de-
chaussée) et de grenier
(à l'étage). Particularité
remarquable : il
comportait un pigeonnier.

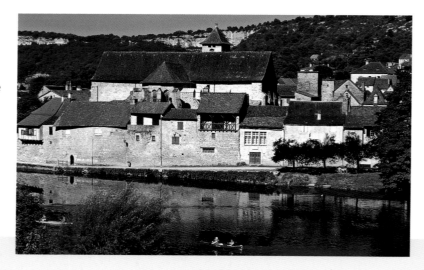

Le retour du safran

Peut-être originaire d'Asie Mineure, le safran était utilisé comme épice, pour teindre les tissus et pour ses vertus thérapeutiques. À Espagnac, une parcelle attenant au jardin du couvent était réservée à cette culture, qui perdura dans la région jusqu'au XVIIIe siècle. Depuis 1997, l'association Culture et Sauvegarde du patrimoine des environs de Cajarc a entrepris de faire l'inventaire des plants subsistant dans les jardins. Dans plusieurs villages de la vallée, le safran est de nouveau à l'honneur, notamment pour la confection de confitures.

de pigeonnier, ainsi que des banquettes de pierres sèches qui servaient pour les cultures, se trouve le hameau de Sainte-Eulalie. Son église a de tout temps été une étape pour les pèlerins venant du Puy et se rendant à Saint-Jacques-de-Compostelle. Aujourd'hui, nombreux sont les randonneurs qui, empruntant le mythique chemin, s'arrêtent devant son austère façade couronnée d'un clocher double.

À LA DÉCOUVERTE D'ESPAGNAC-SAINTE-EULALIE

Organisé par la mairie, un circuit balisé permet de découvrir les principales curiosités du village. Le parcours commence à Espagnac, où l'on visite l'église et le cloître, puis traverse le hameau de Salebio, aux maisons soigneusement restaurées, avant de conduire à la source bleue, dont les eaux, en période de crue, prennent une teinte d'encre. Il passe ensuite par Sainte-Eulalie, où l'on voit l'église (la grotte est fermée au public) et se poursuit jusqu'au hameau du Suquet, qui abrite un menhir érigé entre 3000 et 2000 avant J.-C. En bordure du chemin du Suquet, après la sortie de Sainte-Eulalie, se trouve la cazelle de Coste Pialade, construite au début du XIXe siècle.

Ci-contre : situé dans la vallée du Célé, au cœur d'un cirque de falaises, le village de Marcilhac-sur-Célé abrita une puissante abbaye bénédictine, qui fut très endommagée pendant la guerre de Cent Ans. De cet ensemble seules subsistent la salle capitulaire (XIIe s.) et l'église abbatiale. Celle-ci comporte une partie romane (porche, à l'ouest, trois premières travées de la nef, tour carrée et porte sud, surmontée d'un beau tympan) et une partie gothique (dont le chœur), relevée au XVe siècle.

Village pratique

Habitants : Les Espagnaquois.
Informations touristiques :
Mairie, le Bourg,
46320 Espagnac-Sainte-Eulalie.
Tél. : 05 65 40 09 17.
E-mail : mairie.espagnac@wanadoo.fr

Comment s'y rendre ?
• À 20 km à l'ouest de Figeac par la D 802, la D 13, la D 113, la D 41, puis la D 211.
• Gare : Assier.
• Aéroports : Rodez, Toulouse.

Que rapporter ?
• Des jus de fruits et des confitures de la ferme des Jardins du Célé.
• Des confits de canard et du foie gras de la ferme d'Ayrissac, à Brengues.
• Des produits parfumés au safran (confiture, miel, confits...).

Autour du village

ESPALION

Étape des pèlerins de Compostelle à l'époque médiévale, Espalion occupe un site pittoresque en bordure du Lot.
Les façades de son hôtel Renaissance et de ses anciennes maisons de tanneurs se mirent dans la rivière,
qu'enjambe, magistral, un vieux pont à arches de grès rose.

Ci-dessus : ce vénérable pont remonte au XIᵉ siècle. Il s'intègre merveilleusement dans le paysage verdoyant et les maisons de pierres qui longent la rivière.

Ils avaient affronté les rigueurs des hauts plateaux de l'Aubrac, ces courageux pèlerins qui, fourbus et affamés, descendaient goûter à Espalion un repos bien mérité… Si les randonneurs et les touristes ont remplacé ceux qui cheminaient vers Compostelle, la petite ville à la douceur presque méditerranéenne n'a rien perdu de ses attraits, célébrés en leur temps par le roi François Iᵉʳ qui s'arrêta ici en 1518.

LE VILLAGE AUX DEUX PONTS

Depuis l'ancien champ de foire où se tenait autrefois le marché aux bestiaux, la perspective du Pont-Vieux, du palais Renaissance et des maisons construites au bord du Lot offre une symphonie de pierres roses, inégalement patinées par les ans. Le pont, dont les arches massives comme miraculeusement délivrées des lois de la pesanteur semblent flotter sur la rivière, est l'un des plus vénérables témoins de l'histoire d'Espalion. Déjà mentionné en 1060 dans un parchemin de l'abbaye de Conques mais maintes fois remanié depuis, il était autrefois le seul à relier les deux rives du Lot. Il fournissait d'ailleurs de substantiels revenus, sous forme de droits de péage, au seigneur de Calmont… Si les troupeaux l'empruntent aujourd'hui encore lorsqu'ils partent en transhumance vers l'Aubrac, à la fin du mois de mai, il est préservé de la circulation automobile, un nouveau pont étant venu opportunément le doubler au XIXᵉ siècle.

Ci-contre : le charme d'Espalion provient de son site pittoresque dans un bassin fertile baigné par le Lot, mais aussi de la beauté de ses vieilles demeures. Egayés de lucarnes, leurs toits coiffés d'ardoises bleutées peuvent présenter plusieurs pentes.

La vie du village

Réservé aux gastronomes

Tout au long de l'année, Espalion vit au rythme de conviviales manifestations qui attirent tous les habitants de la région : chaque mardi, le Marché des produits régionaux se tient, comme il se doit, sur la place du Marché. Son animation rivalise avec celle du marché, qui a lieu tous les vendredis. Chaque année, en avril, a lieu une importante foire. Mais c'est l'été qu'il ne faut rater sous aucun prétexte les marchés des producteurs du pays : les gourmets peuvent alors déguster sur place, entre 18 et 22 heures, charcuteries, fromages et produits de la ferme au son des groupes folkloriques.

UNE CITÉ BIEN VIVANTE

Sur la rive droite entre les deux ponts, les « calquières » évoquent l'une des activités qui firent la renommée d'Espalion : ces maisons à balcons de bois sont d'anciennes tanneries qui ont conservé, en façade, ces pierres en saillie, dites « gandouliers », auxquelles on suspendait les peaux pour les plonger dans la rivière. À l'opposé de ce faubourg, la vieille ville offre, au-delà de la place du Griffoul autrefois bordée de maisons à arcades, l'animation de ses rues commerçantes et de la place du Marché. Ancré dans le présent, Espalion n'en oublie pas pour autant son histoire : le Vieux-Palais, construit par un capitaine au service des seigneurs de Calmont, célèbre, avec sa loggia dominant le Lot, les raffinements de la Renaissance. Sanctuaire paroissial avant que le bourg ne se déplace sur le bord du Lot, l'église de Perse, chef-d'œuvre de l'art roman, s'élève dans le cimetière communal. Comment ne pas imaginer, dans le silence de ce lieu hors du temps, le recueillement des pèlerins venus ici pour prier sous ses voûtes ?

Un joyau d'architecture romane

Construite sur le lieu où, du temps de Charlemagne, un saint nommé Hilarion aurait péri sous les coups d'un Sarrasin, l'église de Perse, dominée par un clocher-mur percé de quatre arcades, offre un remarquable chevet à deux absidioles. Outre sa nef voûtée soutenue par des colonnes à chapiteaux historiés, elle possède un magnifique portail dont linteau et tympan sont sculptés de scènes représentant l'Apocalypse, le Jugement dernier et la Pentecôte.

Deux inventeurs espalionnais

La visite du musée du Rouergue, aménagé dans ce qui fut la prison de la ville, peut être complétée par celle du musée du Scaphandre, installé dans l'ancienne église Saint-Jean. L'extraordinaire collection de scaphandres et d'objets de plongée réunie ici rend hommage à deux natifs d'Espalion, Rouquayrol et Denayrouze. Leurs noms sont cités par Jules Verne dans son roman *20 000 Lieues sous les mers*. À l'origine, ces deux ingénieurs n'inventèrent pas le scaphandre pour les besoins de l'exploration marine, mais pour procurer l'oxygène indispensable à ceux qui descendaient dans les mines...

À LA DÉCOUVERTE D'ESPALION

Gagnez, par la rue du Docteur-Trémolières, le Pont-Vieux qui débouche sur la place du Griffoul. Par les rues Canel et Saint-Joseph, rejoignez le Foirail et les rives du Lot, non sans avoir fait un détour pour admirer les façades du Vieux-Palais. Sur le chemin du retour, vous vous dirigerez depuis la place du Plô vers la chapelle des Pénitents, bel édifice du XVIIᵉ siècle, avant de remonter l'avenue de la Gare qui conduit vers l'église de Perse.

Village pratique

Habitants : Les Espalionnais.
Office de tourisme :
23 place du Plô, 12500 Espalion
Tél : 05 65 44 10 63.

Comment s'y rendre ?
• D 920 (depuis Aurillac).
• D 921 (depuis Rodez).
• Gare SNCF de Rodez.
• Aéroport de Rodez-Marcillac.

Que rapporter ?
• Des chocolats fabriqués par les religieuses de l'abbaye de Bonneval.
• De la limonade préparée artisanalement à Espalion, pour son goût qui rappelle l'enfance et pour son nom délicieux : « la Préférée » !
• De la pâte au chocolat à tartiner « Choc'Aubrac ».
• De la charcuterie et des confits d'oie et de canard.

Que voir dans les environs ?
• Le château de Calmont d'Olt, animations médiévales.
• Saint-Côme d'Olt.
• L'église du Cambon (mi-roman, mi-XVIᵉ siècle).
• La coulée de lave (Clapas de Thubiès), qui s'étend sur la colline dominant Saint-Côme d'Olt.
• L'église Saint-Pierre de Béssuéjouls et sa chapelle haute, de style roman.

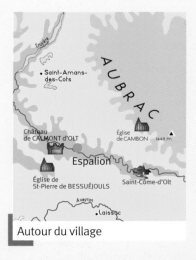

Autour du village

CANTAL – RÉGION AUVERGNE

LAROQUEBROU

Aux confins du Cantal, du Quercy et du Limousin, Laroquebrou s'étire le long
des berges de la Cère, à l'entrée des gorges. Surveillée par son château féodal, la bourgade
est soigneusement entretenue par ses habitants.

Ci-contre : l'Hôtel de Ville vu du rocher de la Vierge. Les services de la mairie occupent l'ancien hôtel de la Trémolière (XIVᵉ-XVIIIᵉ s.), ancienne possession de la famille de Beaufort. L'édifice possède, au premier étage, une belle salle décorée de boiseries.

Ci-dessus à gauche : l'église Saint-Martin (XIVᵉ s.) est formée d'une nef flanquée de huit chapelles latérales. Le massif clocher-mur, dans lequel s'encadre un beau portail à colonnettes, est percé dans sa partie supérieure de trois petites ouvertures.

À droite : le village conserve de nombreuses maisons comportant un étage en encorbellement en pans de bois sur un soubassement de pierre.

D'Aurillac à Toulouse, puis à la frontière espagnole, nombreux furent les pèlerins en chemin vers Saint-Jacques-de-Compostelle qui s'arrêtèrent à Laroquebrou, situé sur la voie de la Redondante, et vinrent prier dans la collégiale. La voûte du sanctuaire, dont l'une des chapelles est dédiée à saint Jacques, porte encore les coquilles du blason de la famille Montal, qui habita longtemps le bourg.

AU BORD DE LA RIVIÈRE

Les touristes ont depuis longtemps remplacé les pèlerins, et le petit bourg médiéval doit une grande part de son animation à la Cère. Cette rivière, dont les eaux paisibles reflètent les façades en pierre et les toits de tuiles rouges, fait la joie des pêcheurs. Située à l'entrée de gorges sauvages, l'ancienne place forte de Laroquebrou connut une histoire mouvementée. Dès le haut Moyen Âge, sentinelle avancée du Carladez, elle se développa à l'ombre d'une forteresse qui résista aux compagnies anglaises, au XIVᵉ siècle, et aux huguenots durant les guerres de Religion. Laroquebrou a conservé quelques traces de son passé médiéval. Son château, dit de Laroque, a été démantelé sous la Révolution. Dans les ruelles grimpant à l'assaut de la colline subsistent des maisons à colombages et en encorbellement, ainsi qu'un hôtel de ville qui remonte au XIVᵉ siècle. Le pont enjambant la rivière est plus ancien (XIIᵉ s.). Laroquebrou possède enfin l'une des rares églises de style

La vie du village

Boogie et jazz

Chaque année, en novembre, un festival du Livre rassemble à Laroquebrou des auteurs de renom venus présenter leurs ouvrages et discuter avec le public. Dans un autre registre, le Festival international de boogie-woogie, qui a lieu en août, offre au bourg trois jours festifs et colorés autour de la musique et de la danse : chanteurs et musiciens de tous les pays sont invités à animer la petite cité autour de stages, de concerts, de spectacles de rue et de divers échanges culturels. Un festival de jazz est également organisé début août.

Une rivière encaissée

Les gorges de la Cère sont longées par le GR 652. Elles s'étirent sur 30 km, de Laroquebrou à Laval-de-Cère. Cet affluent de la rive gauche de la Dordogne a creusé des gorges de 300 m de profondeur au milieu d'un paysage boisé, d'une grande variété d'essences forestières (plus de trente). Les oiseaux et les mammifères en ont fait leur refuge. De nombreux passages, sur le site, sont classés en zone Natura 2000, pour leur type d'habitat, leur faune et leur flore endémiques.

gothique du Cantal. Dotée de trois belles portes ogivales, elle est restée pratiquement intacte depuis le XIVᵉ siècle. Chaque vendredi matin, en été, la place qui borde le sanctuaire est animé par un marché (tous les quinze jours hors saison).

FAIRE « MANGONA »

Durant des siècles, le bourg fut réputé pour le travail de la peau. Les tisserands étaient installés dans la partie haute de la rue du Nègre-Rieu, et les cordonniers, dans sa partie basse. Les commerçants plus cossus avaient leurs demeures sur la rue Damont. Les gorges de la Cère voisine jouissent également d'un intéressant passé industriel : autrefois, pas moins de vingt-deux verreries, dont il reste quelques vestiges (fours, restes d'usines) s'échelonnaient le long de la rivière.

Le pays de Laroquebrou doit enfin son intérêt à ses traditions culinaires, issues des produits du terroir, dont les châtaignes, et surtout le cochon. Faire *mangona* (prononcer « mangoune ») est une expression occitane qui signifie tuer et transformer du cochon. Une fois par an, en février ou mars, le foirail est transformé en véritable parc d'attractions en l'honneur de Tesson, le cochon « cantalés ». Dégustations de saucisses, fritons, jambons…, démonstrations de savoir-faire traditionnels, foire de terroir et expositions d'art autour du cochon attirent une foule de visiteurs.

Ci-dessus : le château de Laroque fut la résidence des seigneurs de Montal. Il présente un corps de logis de plan rectangulaire flanqué d'une tour ronde. Le long de la façade principale, regardant le village, s'élève une tour d'escalier. La terrasse est aménagée sur l'emplacement de l'ancienne enceinte.

Le barrage de la Cère

Le lac du barrage de Saint-Étienne-de-Cantalès attire dès la belle saison les amateurs de baignade et de sports nautiques. Jouissant d'un cadre de toute beauté, à 4 km au sud-est de La Roquebrou, il est devenu un haut lieu de loisirs et contribue au dynamisme touristique de la région. Construit durant la Seconde Guerre mondiale, ce barrage produit chaque année une énergie équivalant à la consommation en électricité de dix-sept mille foyers.

À LA DÉCOUVERTE DE LAROQUEBROU

Laissez votre voiture près de l'hôtel de ville. Par la rue de la Trémolière, dirigez-vous vers le château. Admirez la statue de la Vierge (XIXᵉ s.) érigée sur le site de l'ancienne chapelle seigneuriale, avant de redescendre jusqu'à la place du Merle et la rue du Nègre-Rieu, dans l'ancien quartier des artisans. Vous pouvez ensuite découvrir les maisons bourgeoises (XIVᵉ-XVIᵉ s.) de la rue Damont. Vous irez enfin visiter l'église, de style gothique, et traverserez la rivière pour admirer le pont médiéval et les rives de la Cère.

Ci-dessous : Aurillac, capitale de la haute Auvergne, est la patrie de Sylvestre II, pape de 999 à 1003. La ville, implantée au bord de la Jordanne, conserve un beau quartier ancien formé de demeures à balcons de bois. L'église Saint-Géraud, fondée à la fin du IXᵉ siècle, fut plusieurs fois remaniée. Son clocher date du XIXᵉ siècle. Le château Saint-Étienne (XIIIᵉ-XIXᵉ s.) abrite un musée sur le thème des volcans.

Village pratique

Habitants : Les Roquets.
Informations touristiques :
Office de tourisme, place de l'Église,
15150 Laroquebrou.
Tél. et fax : 04 71 46 07 97.
E-mail : ot.laroquebrou@wanadoo.fr
Site internet du festival de boogie-woogie :
www.boogie-laroquebrou.com

Comment s'y rendre ?
• À 24 km au nord-ouest d'Aurillac
  par la N 120 et la D 653.
• Gare : Aurillac.
• Aéroport : Aurillac-Tronquière.

Que rapporter ?
• Des produits du terroir (charcuterie,
  salaisons, fromages, pâtisseries).
• De la limonade, la Roquette, une spécialité
  du village fabriquée sur place exclusivement.
• Des produits dérivés du cochon sur les
  marchés des environs.

Autour du village

Lauzerte

Depuis son rocher dominant les vallées de la Barguelonne et du Lendou, la bastide de Lauzerte veille toujours sur les pèlerins en route vers Compostelle. Avec ses macarons aux amandes et son jardin du Pèlerin, ce village est une halte privilégiée dans le Quercy blanc.

Le jardin du Pèlerin

Avant d'arriver à Moissac, Lauzerte
est une halte de choix sur la voie du
Puy-en-Velay du chemin de Saint-Jacques-de-
Compostelle. C'est ainsi qu'est née l'idée
originale de ce jardin et du jeu de l'oie dont les
joueurs sont les pions. Des cases et des
panneaux numérotés permettent de se déplacer
dans le quotidien du pèlerin jusqu'au
« paradis », étape ultime de l'arrivée à
Compostelle. Photos, couplets de chansons (XIe-
XVIIIe s.) et végétation symbolique du Moyen
Âge agrémentent la partie.

Ci-dessus à gauche :
cette maison à
colombages de la place
des Cornières présente
un bel appareil de
briquettes saumonées
entrecroisées avec des
pans de bois peints en
gris bleuté.

Joies et souffrances, mauvaises rencontres ou récompenses… le visiteur du
jardin du Pèlerin se déplace de case en case, le long d'un sentier racontant
le quotidien du pèlerin de Compostelle. À travers cet étonnant jeu de l'oie
géant, l'histoire du pèlerinage millénaire se décline au présent.

AU CŒUR DU QUERCY BLANC

Étape incontournable d'une visite à Lauzerte, ce jardin du Pèlerin est accessible
toute l'année (dés et dépliant à l'office de tourisme). Il rappelle que le bourg fut
de tout temps une importante halte pour les pèlerins en route vers Saint-Jacques. Depuis
la place du Château, où se dressait autrefois la forteresse des comtes de Toulouse, la
position stratégique de Lauzerte se dessine nettement. Prolongeant le rocher, les murs du
village forment rempart et dominent les vallées et les coteaux où affleure le calcaire blanc
qui a donné son nom à cette partie du Quercy. À la fin du XIIe siècle, Lauzerte devint une
bastide prospère dont témoignent les maisons de marchands (XIIe-XIVe s.) et les belles
demeures où le gothique se mêle à la Renaissance. Les ouvertures ogivales, les fenêtres
géminées ou à meneaux agrémentent la promenade dans les petites rues qui suivent plus
les contours du relief que le quadrillage habituel des bastides. La place des Cornières,
magnifiquement pavée, est un lieu privilégié avec son marché du samedi matin, ses
arcades, ses maisons de pierre (XVe-XVIIIe s.) et ses deux cafés. La blancheur du calcaire
se marie agréablement avec le brun des tuiles, le bleu ou le vert des volets et les cascades
de fleurs. L'église Saint-Barthélemy et sa tour-clocher dominent l'ensemble ; comme
l'église des Carmes, en bas du village, elle possède un beau retable baroque.

Ci-contre : les parties les plus anciennes de l'église Saint-Barthélemy remontent au XIIIᵉ siècle, mais l'édifice doit l'essentiel de son aspect actuel aux campagnes de reconstruction entreprises aux XVIᵉ et XVIIᵉ siècles. Implanté de biais par rapport à la place des Cornières, l'édifice offre une nef unique à travées plus larges que le chœur, ainsi qu'une abside à cinq pans.

La vie du village

Une débauche de fleurs

Si les balcons et les fenêtres de Lauzerte restent fleuris toute l'année, le village prend des allures de jardin le troisième dimanche d'avril. Les Floralies de Lauzerte investissent alors le centre historique. Les différents métiers autour des fleurs sont présents, de l'horticulteur au décorateur. Expositions odorantes, animations olfactives, conférences, concours, photographies et création d'un décor floral sur la place des Cornières ponctuent la journée.

Ci-contre : le bâtiment faisant le coin abrita du XVIIᵉ siècle à la Révolution une communauté de clarisses, avant de devenir une caserne de gendarmerie. Ce bel édifice, classé au titre des Monuments historiques, possède une façade Renaissance percée de fenêtres à meneaux.

131

DE FÊTE EN MARCHÉ

Floralies d'avril, Nuits de Lauzerte… Le bourg prend régulièrement des habits de lumière. La fête est d'ailleurs quotidienne place des Cornières, sous les arcades ou à l'ombre d'un arbre, grâce aux cafés qui permettent une délicieuse halte en journée ou aux soirées animées comme dans le café musical Le Puits de jour. En été, des expositions se tiennent à la mairie, tandis que les salles Saint-Barthélemy présentent tout au long de l'année la vie lauzertine d'autrefois : épicerie, salle de classe, apothicairerie… Les gourmands connaissent les fameux macarons aux amandes de Lauzerte, une spécialité sucrée en vente dans le quartier commerçant du faubourg d'Auriac, en dehors des remparts. C'est là que se dresse la jolie église des Carmes, remaniée aux XVIIᵉ et XIXᵉ siècles. À côté du sanctuaire, le restaurant Le Quercy propose ses spécialités régionales. Place du Foirail, enfin, le marché du terroir du mercredi attire les amateurs de la gastronomie du Sud-Ouest.

Les Nuits de Lauzerte

Chaque année, les premiers vendredi et samedi d'août, les visiteurs se pressent pour déambuler à la lueur des milliers de bougies illuminant les rues de la cité médiévale. Les jardins s'animent de sculptures musicales, les projections photographiques et la musique investissent les espaces, et les spectacles répondent aux installations artistiques. Entre ombres, lumières et couleurs, ce rêve éveillé témoigne d'une alliance réussie entre patrimoine et création contemporaine.

Ci-contre : la place des Cornières mesure 35 m sur 30 m. Implantée sur la partie la plus large de la butte qui supporte la bastide, elle a été, depuis l'origine, le lieu de tous les événements intéressant la vie de la communauté. Les maisons qui la bordent sont percées au niveau du rez-de-chaussée d'arcades en plein cintre ou en anse de panier.

À LA DÉCOUVERTE DE LAUZERTE

Garez-vous en haut du village sur la promenade de l'Éveillé. Après la place des Cornières, admirez le panorama depuis l'esplanade de la Barbacane. Arrêtez-vous au jardin du Pèlerin, puis descendez vers le faubourg d'Auriac. Goûtez aux macarons lauzertins et remontez par les escaliers de la place du Foirail jusqu'à la rue de la Brèche. Prenez ensuite la rue de la Gendarmerie jusqu'à l'ancien couvent des clarisses (XVIᵉ-XVIIᵉ s.), puis allez sur la place du Château.

Ci-dessous : Saint-Maurin fut le siège d'une abbaye bénédictine (XIᵉ s.) qui aurait été élevée sur le site même où fut martyrisé saint Maurin, l'un des évangélisateurs de l'Agenais. Le village, implanté à la frontière du Quercy, abrite un musée de la Vie artisanale et rurale.

Village pratique

Habitants : Les Lauzertins.
Informations touristiques :
Office de tourisme, place des Cornières, 82110 Lauzerte. Tél. : 05 63 94 61 94.
Fax : 05 63 94 61 93.
Site internet : www.quercy-blanc.net et www.lauzerte-tourisme.fr

Comment s'y rendre ?
• À 25 km au nord de Moissac par la D 953 et à 38 km au sud-ouest de Cahors par la D 953.
• Gare : Moissac.
• Aéroport : Toulouse-Blagnac.

Autour du village

Nasbinals

Situé au cœur de l'Aubrac, le gros village de Nasbinals, étape traditionnelle sur le chemin
de Saint-Jacques-de-Compostelle, est aussi un haut lieu d'élevage. Environné d'une nature majestueuse,
le bourg, très animé, attire randonneurs et pèlerins à la belle saison.

134

Ci-dessus : le portail de
l'église paroissiale
s'ouvre sur la place
principale du village.
En plein cintre, il est
encadré de colonnes à
chapiteaux. Trois d'entre
eux sont ornés de motifs
de feuillage. Le quatrième
représente le combat
d'un sagittaire avec un
lancier.

Trônant à l'entrée du bourg, peu avant le carrefour des routes de Marvejols et d'Aumont-Aubrac, un buste perpétue le souvenir de Pierre Brioude, dit Pierrounet, qui fit beaucoup pour la célébrité de Nasbinals à la fin du XIXᵉ siècle. Né en 1832, ce berger autodidacte, devenu cantonnier, avait le don de réduire les fractures et les luxations. Sa réputation ne tarda pas à dépasser le cadre de la région, et l'on vit bientôt affluer, transitant par la gare d'Aumont, infirmes et malades venus parfois de très loin, même, dit-on, du Canada et des États-Unis. Trois hôtels se construisirent dans le village pour les accueillir. Modeste et désintéressé, Pierrounet mourut en 1907, pleuré par toute la population…

SUR LE CHEMIN DE SAINT-JACQUES

Bien qu'isolé au milieu des vastes pâturages de l'Aubrac, battus par les vents et couverts de neige en hiver, Nasbinals, situé à proximité de la via Agrippa reliant Toulouse à Lyon, a toujours été un lieu de passage et d'échanges. Cité dès le VIIIᵉ siècle, le village se développe, à partir du IXᵉ siècle, autour d'une modeste église dépendant d'un prieuré fondé par les moines de Saint-Victor de Marseille, qui sera rattaché en 1135 à la Dômerie d'Aubrac. Dédié à la Vierge, le sanctuaire, qui offrait un abri sûr avant le franchissement du plateau,

La vie du village

Les vaches en vedette

À Nasbinals, la foire aux bestiaux et aux chevaux a lieu deux fois par an, le 17 août et le 9 septembre, sur la place du Foirail, située au sud du bourg. Ces foires, accompagnées d'animations diverses, mettent bien sûr à l'honneur les vaches et les bœufs de la race aubrac, dont les principaux caractères (rusticité, capacités d'adaptation au climat et au relief du plateau) se pérennisent, depuis 1893, date de création d'un Herd Book, livre généalogique de la race.

Une réhabilitation bienvenue

La maison Charrier est située au cœur du village.

Cette vaste demeure fut habitée par Marc Antoine Charrier, notaire à Nasbinals, qui, en 1789, fut élu député du Gévaudan aux États généraux avant de prendre la tête de l'armée catholique du Midi qui luttait contre les persécutions religieuses ds autorités révolutionnaires. Il fut guillotiné à Rodez en 1793. Sa maison a été restaurée. Une partie des bâtiments accueille les services de l'office de tourisme, tandis que le reste est affecté à la paroisse.

s'élève toujours au centre du bourg. Cet édifice de style roman, bâti en basalte brun et coiffé de schiste, remanié au xive siècle, se compose d'une nef unique, d'un transept dont la croisée est surmontée d'un clocher octogonal et d'une abside agrémentée d'une petite galerie d'arcatures en plein cintre. Depuis l'origine, les pèlerins qui se rendent à Saint-Jacques-de-Compostelle y font halte avant l'étape d'Aubrac.

LE DYNAMISME D'UNE COMMUNE RURALE

Nasbinals se trouve sur le trajet des drailles, chemins empruntés par les troupeaux de bovins qui transhumaient vers les pâturages d'altitude où ils séjournaient de mai à octobre. L'estive, durant laquelle les bergers, dans leurs burons, fabriquaient la tomme, ingrédient de base de l'aligot, tend à disparaître, mais Nasbinals reste un centre d'élevage et de négoce de la célèbre race aubrac. Si, avec cinq cents résidents permanents, répartis entre le bourg et plusieurs hameaux, le village est aujourd'hui peu peuplé, de nombreux enfants

Ci-dessus à gauche : un pèlerin traversant le village. Depuis le XIIe siècle, Nasbinals est une étape sur le chemin venant du Puy.

À droite : le lac de Salhiens est situé à plus de 1 000 m d'altitude. D'une superficie de 6 ha, ce lac, issu d'un barrage de moraines, a une profondeur maximale de 15 m. Sa taille se réduit progressivement du fait de la formation de tourbe.

La cascade du Déroc domine de 30 m la vallée glaciaire de la Gambaïse. Témoignant de la période de glaciation que connut l'Aubrac au quaternaire, elle masque un grand abri-sous-roche qui permet de la contourner et dont le plafond est constitué de gros prismes basaltiques d'une géométrie parfaite. En hiver, elle est fréquemment prise par les glaces.

du pays sont « montés » à Paris, où une association baptisée La Nasbinalaise les réunit régulièrement –, il est très fréquenté en été, tant par les pèlerins que par les amateurs de randonnée et de nature. La grotte et la cascade du Déroc, comme les quatre lacs situés sur le territoire de la commune, constituent autant de buts de promenade qui sont l'occasion d'apprécier la richesse de la faune et de la flore de l'Aubrac.

À LA DÉCOUVERTE DE NASBINALS

Depuis le bourg, où vous visiterez l'église, gagnez à l'est du village le site de Notre-Dame-de-la-Sentinelle, une grande statue de la Vierge datant du xixe siècle. Revenez vers le bourg, puis empruntez le GR 65 pour atteindre la croix des Trois-Évêques. Érigée en 1238, cette croix, remplacée par une copie moderne, marque la limite des trois évêchés qui se partageaient l'Aubrac : Mende, Rodez et Saint-Flour. Depuis le village, la D 900, puis la D 52 vous mèneront aux lacs et à la cascade du Déroc.

Burons et buronniers

Implantés sur les pâturages d'altitude, les burons, constructions typiques de l'Aubrac, sont des cabanes en pierre couvertes de lauzes et composées d'un ou de plusieurs bâtiments, dont l'un comporte une cave en partie enterrée. C'est là que, pendant l'estive, les bergers (ou buronniers) conservaient le fromage qu'ils faisaient sur place. L'un de ces burons, celui du Puech de la Treille, situé sur la route menant de Nasbinals au col de Bonnecombe, a été récemment remis en activité pour la production de fromage artisanal.

Ci-contre : le buste du rebouteux Pierrounet est daté de 1909. Œuvre du sculpteur Joseph Malet, il repose sur un socle aux angles duquel sont figurées deux béquilles.

Village pratique

Habitants : Les Nasbinalais.
Informations touristiques :
Office de tourisme du canton de Nasbinals, 48260 Nasbinals.
Tél. : 04 66 32 55 73.
E-mail : officetourismenasbinals@orange.fr

Comment s'y rendre ?
• À 23 km au sud-ouest d'Aumont-Aubrac par la D 987.
• Gare : Aumont-Aubrac.
• Aéroport : Rodez.

Que rapporter ?
• Des plats cuisinés, des conserves (tripoux, pâtés, fricandeaux...) et des produits du terroir (jambon de pays de Lozère).

Autour du village

Navarrenx

Au cœur du Béarn, l'ancien fief protestant de Navarrenx porte fièrement son titre de première cité bastionnée de France. Célèbre par son championnat du monde de pêche au saumon, le village reçoit aussi de nombreux pèlerins en route pour Saint-Jacques-de-Compostelle.

Ci-dessus : les fortifications de Navarrenx illustrent la manière dont l'art militaire s'est affranchi au XVIᵉ siècle des modèles médiévaux. Aux tours élevées, exposées aux tirs, on préfère désormais un système de bastions, de demi-lunes et de portes fortifiées. Les remparts sont garnis intérieurement de banquettes de terre, ce qui renforce leur résistance.

Ci-dessus : l'arsenal (1680) date des travaux entrepris par Vauban pour renforcer les défenses de la place, fortifiée à partir de 1538 par l'architecte italien Fabricio Siciliano.

Vicomté du Béarn, puis petite bastide agricole, Navarrenx doit ses remparts séculaires aux rois de Navarre qui établirent cette forteresse pour défendre leur royaume. En 1537, les murs sont achevés selon le modèle italien importé par un architecte de Vérone, et le protestant Béarn se trouve en position de résister aux convoitises catholiques.

UN CHEF-D'ŒUVRE D'ARCHITECTURE MILITAIRE

Les guerres de Religion qui ensanglantèrent le Béarn ne parvinrent pas à ébranler Navarrenx, et le nouveau système fortifié de 1537, un épaulement de terre flanqué de murailles bastionnées à orillons (saillies de maçonnerie), fit ses preuves. Ainsi, en 1569, Charles IX, profitant de l'absence de Jeanne d'Albret (reine de Navarre et mère d'Henri IV), assiégea la cité où s'étaient réfugiés nombre de protestants : la place résista. Ironie de l'histoire, c'est Louis XIII, petit-fils de Jeanne d'Albret, qui prit Navarrenx en 1620, restaura le catholicisme et ramena le Béarn à l'autorité. Aujourd'hui, les remparts ceinturent toujours le bourg, et la porte Saint-Antoine s'impose fièrement au bout du pont enjambant le gave d'Oloron depuis le XIIIᵉ siècle. Mille deux cents Navarrais vivent au cœur de cette citadelle entre bastions, échauguettes, casernes, poudrière et arsenal. L'imposante bâtisse, qui pouvait autrefois héberger jusqu'à cinq cents hommes et stocker armes et

Chants, danses ou opéras

À la fin de juin, la fête de la Musique, devenue ici le « Meuhzik festival », envahit rues et remparts et inaugure la saison musicale d'été. Le théâtre de verdure, construit dans le bastion des Échos, accueille certains soirs des spectacles folkloriques gratuits mêlant chants et danses du Béarn ou du Pays basque. En août, c'est la majestueuse cour de l'arsenal qui reçoit pour un soir la compagnie des Opéras de pierres lyriques dont les récitals animent la région durant toute la belle saison.

La vie du village

Le roi du gave

Ici, le saumon occupe tous les esprits entre mars et juillet. Chaque année, depuis 1954, le championnat du monde de pêche au saumon dans le gave d'Oloron attire un public international. Les pêcheurs se pressent dans les boutiques spécialisées de la rue Saint-Germain et guettent la prise de plus de 10 kg qui leur vaudrait le premier prix. Le pool Masseys ne désemplit pas. Les poissons s'y reposent au calme avant de franchir l'échelle à saumons et de poursuivre leur route.

vivres pour tout le Béarn, accueille de nos jours un centre culturel et touristique ainsi qu'un gîte pour les pèlerins.

À L'OMBRE DES REMPARTS

Navarrenx coule aujourd'hui des jours paisibles, ponctués par les marchés du mercredi sur la place de la Mairie et les marchés fermiers du dimanche matin (de mai à septembre). À Pâques, les artisans envahissent les rues pour la traditionnelle exposition des métiers d'art et, le premier week-end d'août, un marché nocturne mêle produits du terroir et artisanat. Il ouvre la fête annuelle du village avec concerts, bals et feu d'artifice sur le gave. Ici, cuisine gastronomique ou familiale, les plats régionaux se dégustent à toutes les tables : foie gras, charcuterie, andouille béarnaise, garbure ou gâteau basque à la confiture de cerise noire… Les saumons remontant le gave commencent à frayer au pied de Navarrenx, conférant à la cité sa réputation mondiale de capitale du saumon. Enfin, Navarrenx doit également son animation aux huit mille pèlerins qui s'arrêtent chaque année à l'ombre de ses remparts : ils sont attendus à l'église tous les jours à 18 heures, de Pâques à la Toussaint.

Ci-dessus à gauche : la poudrière était initialement entourée d'un mur. Le bâtiment est de faible hauteur, disposition qui devait le protéger des tirs directs des assaillants. Il pouvait contenir jusqu'à 25 000 livres de poudre.

139

À droite : la construction de l'église saint-germain fut entreprise en 1551, mais l'édifice ne fut achevé qu'en 1852. De style gothique tardif, le bâtiment compte trois nefs. Les voûtes de celles-ci sont décorées de masques sculptés.

Les bastions des remparts sud

Trois bastions restaurés méritent le détour. Le demi-bastion de la Clochette permet un beau point de vue sur le pont et sur la porte Saint-Antoine, qu'il protégeait en cas d'attaque. Il abrite la copie du canon baptisé Si you ti baü (« Si moi j'y vais », en béarnais), devise de Navarrenx. Le bastion des Contremines et celui des Échos ont gardé leurs galeries souterraines, que l'on peut visiter : dans celles du bastion des Échos, l'écho peut se répéter sept fois par le jeu des meurtrières.

À LA DÉCOUVERTE DE NAVARRENX

Après l'arsenal (belle maquette de la cité), la place des Casernes et la porte Saint-Antoine, grimpez sur les remparts (vue sur le gave d'Oloron et sur les Pyrénées). Explorez les différents bastions, puis visitez la poudrière. Admirez la demeure Renaissance de Jeanne d'Albret, rue Saint-Antoine, avant d'aller à l'église Saint-Germain aux voûtes remarquables retombant sur de curieuses têtes. N'oubliez pas la fontaine militaire ni la commerçante rue Saint-Germain, riche de bons produits du terroir, avant de prolonger votre visite par les berges du gave d'Oloron. Vous pouvez enfin découvrir la manufacture de cigares, place des Casernes, la seule en Europe de cigares fabriqués entièrement à la main (atelier de roulage, etc).

Ci-contre : Mauléon-Licharre, capitale de la Soule, est dominé par la silhouette de son château fort, qui s'élève à l'est de la cité. Construit au XIIe siècle, le château, occupé par les Anglais entre 1307 et 1449, fut repris par Gaston IV de Foix. Dans la cour de l'édifice, dont les murailles sont flanquées de trois tours elliptiques, se trouve un puits profond de 28 m.

Village pratique

Habitants : Les Navarrais.
Informations touristiques :
Office de tourisme intercommunal de Navarrenx,
arsenal, rue Saint-Germain,
64190 Navarrenx.
Tél. : 05 59 66 14 93.
Fax : 05 59 66 54 80.
Site Internet : www.bearn-gaves.com
E-mail : otc.navarrenx@wanadoo.fr

Comment s'y rendre ?
• À 21,5 km au nord-ouest d'Oloron par la D 936.
• Gare : Orthez (TGV).
• Aéroports : Pau, Biarritz.

Que rapporter ?
• Des produits du terroir :
  foie gras, magret ou confit de canard, charcuterie.
• Du saumon fumé.
• Des gâteaux basques.
• Des cigares de la manufacture de Navarrenx,
  au tabac Recapet, sur la place du village.

Autour du village

Ordiarp

Au cœur de la province basque de la Soule, Ordiarp déploie ses maisons
chaulées de blanc au creux d'une vallée boisée que dominent les hauteurs du piémont
pyrénéen. Ce village est une ancienne étape sur la route de Compostelle.

Ci-contre : le pont romain qui enjambe l'Arangorena comporte deux arches. Il conduit à l'église paroissiale.

Une révolte contre Louis XIV

L'une des premières mesures prises par Louis XIV à la mort de Mazarin fut d'envoyer une compagnie de mousquetaires en Soule pour écraser une révolte : les paysans de la région se rebellaient contre les impôts excessifs prélevés par le pouvoir. Ils furent vite écrasés, et leur chef, Matalas, qui s'était réfugié dans la maison forte de Gentein d'Ordiarp, fut arrêté et décapité. Après ces événements, la Soule accepta sans broncher son appartenance à la France.

De même que dans de nombreux villages basques, la messe du dimanche matin à Ordiarp est célébrée en basque devant une assemblée divisée en deux : les femmes sont en bas et les hommes en haut, perchés dans les tribunes. Cette tradition remonte au début du XVIIIe siècle.

SUR LA ROUTE DE SAINT-JACQUES

L'église d'Ordiarp date du XIIe siècle. À cette époque, le sanctuaire faisait partie d'une commanderie dépendant de l'abbaye de Roncevaux et voisinait avec un hôpital qui accueillait les pèlerins cheminant vers Saint-Jacques-de-Compostelle par la route du piémont pyrénéen. Très fréquenté, cet établissement était éminemment lucratif : les augustins de Roncevaux s'en virent disputer la propriété durant tout le Moyen Âge, avant de devoir finalement la céder au chapitre de Bayonne au début du XVIIIe siècle. De l'ensemble hospitalier ne subsistent plus aujourd'hui qu'une petite maison baptisée « Hospitalet » et, à côté, l'église Saint-Michel. De style roman, celle-ci conserve un chœur et une abside en cul-de-four du XIIIe siècle. Devant le porche coule un petit ruisseau, l'Arangorena, au-dessus duquel a été jeté un pont romain qui ajoute à sa majesté et la relie à la place principale du village.

Ci-contre : le porche précédant l'église est couvert d'une charpente en ogive et présente, en façade, un fronton triangulaire. Il est dallé de pierres tombales de notables et de prêtres.

Ci-dessous à gauche : la « salle de Gentein » est une maison noble fortifiée datant des XVIe et XVIIe siècles. Elle était la demeure d'un des dix podestats de Soule.

L'IDENTITÉ BASQUE

Autour de cette église, se dressent de belles demeures aux origines médiévales. Massives, chaulées de blanc, ce sont parfois d'anciennes maisons nobles fortifiées, dont la plus célèbre est la « salle de Gentein », résidence de l'un des dix podestats de la Soule. Nombre d'entre elles affichent de beaux linteaux sculptés. Les quelque cinq cent cinquante habitants d'Ordiarp continuent à vivre au rythme du calendrier agricole et perpétuent avec cœur les traditions et la culture basques. Le village compte encore plus de soixante-dix exploitations, spécialisées notamment dans l'élevage de brebis. Il possède également trois comités des fêtes, un pour chacun de ses hameaux : le bourg, Garaibie et Lambarre, qui accueillent régulièrement la population autour de manifestations typiquement basques :

La vie du village

Un calendrier chargé
Chaque été, les visiteurs peuvent découvrir le site d'évocation des chemins de Saint-Jacques. Ensuite, Ordiarp fête saint Michel durant les deux derniers week-ends de septembre. Les manifestations se déroulent sur la place principale et autour du mur de pelote. Le mois suivant, le quartier de Garaibie prend le relais et organise les festivités lors de l'ouverture de la chasse aux palombes. Puis vient novembre avec le traditionnel méchoui du quartier de Lambarre.

Drôle de clocher

Le clocher de l'église Saint-Michel d'Ordiarp dénote singulièrement parmi ses homologues souletins. Tandis que ces derniers s'achèvent en général par trois grands pics en pierre, qui symbolisent la Trinité, celui-ci est surmonté d'un clocheton carré couvert d'ardoises et flanqué de quatre petites tours. Il fut construit à la fin du XVIᵉ siècle après qu'un incendie eut ravagé toute une partie de l'église.

mascarades, concours de pelote, représentations de danse ou plus simplement repas villageois. Ordiarp résonne alors des accents de la langue basque, qui se transmet ici d'une génération à l'autre.

À LA DÉCOUVERTE D'ORDIARP

Commencez votre visite sur la place principale du bourg, lieu de rencontre important où se déroulent la plupart des manifestations du village. Empruntez ensuite le pont romain en direction de l'église, dont vous remarquerez la grille destinée à empêcher les animaux de passer. Visitez l'église, puis prenez la route située derrière elle. Vous rejoignez alors un circuit pédestre balisé en jaune et long de 2 km qui vous permettra de faire le tour complet d'Ordiarp en profitant de ses espaces naturels. En été, des soirées nocturnes permettent de découvrir l'histoire du village.

Surplombant la vallée du Saison, le château fort de Mauléon fut construit au XIᵉ siècle. Occupé par les Anglais pendant la guerre de Cent Ans, il fut, au XVIIᵉ siècle, associé à la révolte populaire conduite par Bernard de Goyenetche, curé de Moncayolle, le célèbre Matalas. L'édifice, flanqué de trois tours elliptiques, est entouré d'une enceinte. Son accès se fait par un pont à trois arches menant à un pont-levis.

144

Village pratique

Habitants : Les Ordiarpains.
Informations touristiques :
Mairie (et syndicat d'initiative),
64130 Ordiarp. Tél. : 05 59 28 07 63.
E-mail : ComOrdiarp@cdg-64.fr
Office de tourisme de Soule,
10, rue J.-B. Heugas, 64130 Mauléon.
Tél. : 05 59 28 02 37.
Site internet : www.valleedesoule.com

Comment s'y rendre ?
• À 70 km au sud-ouest de Pau
  par la N 134, la D 936, la D 25, la D 24
  et la D 918.
• Gares : Pau, Dax.
• Aéroports : Pau, Biarritz

Que rapporter ?
• Du fromage de brebis à la coopérative
  Azkorria à Musculdy.
• Des produits fumés à base de poisson.
• De la confiture de cerises.
• Des friandises basques.

Autour du village

Pradelles

Posé sur un plateau à plus de 1 000 m d'altitude à l'extrême sud du département
de la Haute-Loire, Pradelles accueille depuis toujours pèlerins, marchands et voyageurs.
Le bourg a conservé de nombreux témoignages du temps où il devait sa prospérité au commerce.

Pradelles sauvé de la peste

En 1586, la terrible épidémie de peste noire qui a commencé à Marseille remonte par la vallée du Rhône. À la veille de Noël, elle est aux portes de Pradelles. Les habitants du village font appel aux étudiants en médecine de Montpellier, lesquels entendent lutter contre le fléau avec… des fumigations. Un incendie se produit accidentellement, Pradelles est en grande partie détruit… et sauvé : le feu est alors la meilleure arme contre la maladie !

146

Ci-dessus à gauche : la chapelle Notre-Dame fut construite au XVIIᵉ siècle par les dominicains. Elle abrite une Vierge à l'Enfant en pin qui fut découverte en 1512 et dont l'origine est inconnue. Elle est promenée en procession tous les ans le 15 août.

À droite : le portail de la Verdette fut le théâtre d'un haut fait d'armes. C'est là que, le 10 mars 1588, la garnison de Pradelles repoussa un assaut des huguenots qui tentaient de s'emparer de la cité.

Chaque jeudi matin, en été, la place de la Halle s'anime. Les producteurs de la région se donnent rendez-vous pour proposer aux amateurs de produits authentiques le fruit de leur savoir-faire : fromages savoureux, charcuteries et salaisons, miels artisanaux… Pradelles renoue avec ses traditions : celles d'une grande place commerciale.

AUX CONFINS DE TROIS « PAYS »

Grâce à son emplacement exceptionnel au carrefour du Vivarais, du Gévaudan et du Velay, la petite cité qui s'est peu à peu fortifiée est devenue une halte importante dès le Moyen Âge. Étape marchande sur la route du Midi, Pradelles voit alors transiter le sel, les vins et les épices qui vont du Sud vers le Nord, les bestiaux, les draps et les grains qui font le chemin dans l'autre sens… Les pèlerins en route vers Saint-Gilles ou Saint-Jacques-de-Compostelle s'y arrêtent, tout comme les bergers qui conduisent leurs troupeaux entre les plaines du Languedoc et les hauteurs du Massif central. Cette époque de prospérité qui dura plusieurs siècles se lit aujourd'hui à travers le village : cœur de Pradelles, la place de la Halle est entourée d'arcades, de passages couverts et de maisons des XVIᵉ-XVIIᵉ siècles.

Un Écossais dans les Cévennes

Lorsqu'il arrive dans les Cévennes en 1878, Robert Louis Stevenson (1850-1894) n'a pas encore écrit les romans qui le rendront célèbre : *l'Île au trésor* (1883) et *Dr Jekyll et M. Hyde* (1886). Atteint de tuberculose, il est venu chercher en France un climat plus favorable à sa santé fragile que celui de son Écosse natale. Épris d'une femme mariée, il espère aussi guérir ses peines de cœur… Il entreprend donc un voyage en compagnie de Modestine, une ânesse, entre Monastier-sur-Gazeille (Haute-Loire) et Saint-Jean-du-Gard (Gard). En douze jours, il aura parcouru 220 km et vécu de nombreuses aventures dont il fera le récit dans *Voyage avec un âne dans les Cévennes* (1879). Avec ou sans âne, les aventuriers d'aujourd'hui peuvent suivre ses traces sur le GR 70, baptisé « sentier », qui passe par Pradelles.

La vie du village

En hommage aux chevaux
Carrefour des chemins muletiers, Pradelles, « cité du cheval de trait », honore ces animaux qui ont rendu tant de services aux hommes à une époque pas si lointaine…
Au musée vivant du Cheval de trait, on peut ainsi assister à des animations équestres. On peut aussi découvrir comment ces animaux étaient autrefois utilisés grâce à des scénographies évoquant les métiers traditionnels.

Et ses rues bordées de demeures cossues et de fontaines patinées par le temps illustrent cette richesse passée.

147

UNE RECONVERSION RÉUSSIE

Aujourd'hui, le bourg venteux mise sur ses vieilles pierres et sur la nature qui l'environne. Les anciens sentiers qui encerclent le village et qui étaient autrefois empruntés par les bergers et les pèlerins font désormais le bonheur des randonneurs. Pradelles recycle également avec succès ses infrastructures, notamment les rails de son chemin de fer désaffecté : le vélo-rail qui sillonne 18 km à travers landes et tourbières au départ de l'ancienne gare en est le meilleur exemple. Passé et présent s'y conjuguent enfin avec quelques traditions qui connaissent un succès sans faille. Certains soirs d'été, des conteurs viennent faire frissonner habitants et visiteurs en racontant de vieilles légendes : la bête du Gévaudan n'est pas loin ! Et chaque 15 août, le pèlerinage à la chapelle Notre-Dame située à l'extérieur de l'enceinte est l'occasion d'une fête conviviale où se retrouvent anciens de Pradelles et plus jeunes, de retour « au pays ».

Ci-dessus à gauche : sur la place de la halle, de nombreuses maisons ont leur rez-de-chaussée occupé par une galerie à arcades.

Ci-contre : aujourd'hui paisible bourg rural, Pradelles doit son nom à l'ancien Castrum pratellae. Depuis ce château aujourd'hui disparu, on pouvait surveiller un vaste territoire s'étendant sur toute la haute vallée de l'Allier et au-delà, vers le sud, jusqu'aux crêtes du mont Lozère.

À LA DÉCOUVERTE DE PRADELLES

La visite du village commence au-delà de la place du Foirail, au niveau de la grande porte de Pradelles qui conduit à la place de la Halle. Au sud-est de cette place, dans le jardin public du Calvaire, une table d'orientation offre une superbe vue panoramique. Non loin du jardin, dans la rue Basse, se dresse le portail du Besset, point de départ de la route du Midi. Un peu à l'ouest, au début de la rue des Genêts, on peut admirer la tour des Rochely, ancienne tour d'enceinte, tout comme le portail de la Verdette, à l'entrée de la rue du Mazel. L'église Saint-Pierre se trouve sur la placette voisine.

Village pratique

Habitants : Les Pradellains.
Office de tourisme :
Avenue du Puy, 43420 Pradelles.
Tél. : 04 71 00 82 65.

Comment s'y rendre ?
• Par la route N 88 depuis
  Le Puy-en-Velay.
• Gare la plus proche : Langogne.

Que rapporter ?
• Des fromages de chèvre.
• Des lentilles vertes du Puy.
• Des charcuteries, du miel.

Que voir dans les environs ?
• Les vestiges du prieuré Saint-Clément.
• Les ruines du château de Jonchères.
• Le lac de Naussac.
• Le lac du Bouchet.
• Les gorges de l'Allier.
• Le village de Coucouron et l'église avec
  son portail roman.
• L'église de L'Espron, de style roman.
• Le village de Saint-Paul-de-Tartas et son
  église romane.

Autour du village

Saint-Privat-d'Allier

Dominant le site exceptionnel des gorges de l'Allier, Saint-Privat est depuis près de mille ans une étape
sur le chemin de Saint-Jacques-de-Compostelle. Le patrimoine du village
– châteaux, églises et belles maisons rurales – lui permet aujourd'hui de s'ouvrir au tourisme.

À la découverte de Saint-Privat-d'Allier

Prenez la ruelle qui longe le château démantelé et qui conduit à
l'esplanade ombragée, d'où la vue est belle sur l'ensemble du village.
Vous visiterez l'église romane, dotée de chapelles flamboyantes.
Revenez ensuite vers le village pour flâner devant les belles maisons
de pierre. Enfin, en reprenant votre voiture, vous pouvez soit aller
découvrir le château de Mercœur, soit rejoindre les grottes
préhistoriques bordant l'Allier et le ruisseau de Rouchoux.

150

Ci-dessus : l'église romane
est constituée de trois
vaisseaux d'égale hauteur,
voûtés d'arêtes sur
doubleaux brisés. Ces
voûtes reposent sur des
colonnes portant des
chapiteaux à décor végétal.

À droite : le château de
mercœur est situé au nord
de la commune. Construit
au pied d'un éperon boisé
dominant l'Allier, il se
compose d'un corps de
logis et d'un gros donjon
cylindrique. Datant des XIVᵉ
et XVᵉ siècles, il fut remanié
sous la Renaissance et au
XVIIIᵉ siècle.

Coupable de nombreuses exactions envers les seigneurs voisins et envers la population,
le jeune seigneur de Saint-Privat, Jacques Bouchard, est déféré aux Grands Jours
d'Auvergne en 1676. Mis en place au Moyen Âge, ce tribunal d'exception est chargé de juger
les affaires locales afin de rétablir la paix civile. La sentence est impitoyable : le seigneur est
condamné à mort et son château doit être rasé. Mais le condamné disparaît fort à propos
dans la nature… Le château quant à lui perd ses murailles, ses portes et ses tours.

À L'OMBRE DU CHÂTEAU

Les origines de Saint-Privat remontent au vᵉ siècle, quand les habitants de la région
trouvent refuge sur l'éperon rocheux dominant le ruisseau du Rouchoux, à l'est, et les gorges
de l'Allier, à l'ouest. Le rocher accueille dès le XIᵉ siècle une place forte, d'abord possession
des puissants seigneurs de Mercœur, puis de la famille de Montlaur et des Poitiers-Saint-
Vallier. Restaurée au xvᵉ siècle après le passage des routiers, la citadelle est prolongée par
des murailles, derrière lesquelles les villageois se réfugient en cas de danger. En 1723, les
propriétaires obtiennent l'autorisation de reconstruire le château, inhabité et ruiné à la suite

Ci-contre : la chapelle
Saint-Jacques jouxte le
château de Rochegude,
attesté dès le XIIIᵉ siècle.
Ce petit édifice roman est
inscrit au titre des
Monuments historiques.

La vie du village

Art au sommet

Depuis une dizaine d'années, le « plain » sert de cadre aux Rencontres
contemporaines, une manifestation dédiée à l'art et à la musique
d'aujourd'hui. Deux concerts sont organisés en une dizaine de jours
dans l'église romane, tandis que le château ouvre ses portes à de jeunes
artistes plasticiens. Ce festival ambitieux attire chaque année de plus en
plus de monde. Un succès qu'explique l'accueil chaleureux fait au
public, qui, après chaque concert, est invité à dialoguer avec les artistes.

Ci-contre : le château de
Saint-Privat fut bâti sur
un rocher, formant une
sorte de triangle dont la
pointe est tournée vers le
village. Il conserve des
restes de son enceinte
fortifiée.

du procès de Jacques Bouchard. À peine reconstruite, la bâtisse subit les affres de la
Révolution. Pillée, elle est vendue en 1877 aux religieuses de Saint-Joseph du Puy, qui y
administrent une école de jeunes filles jusqu'en 1988. C'est aujourd'hui une demeure
privée dont les propriétaires ouvrent régulièrement les portes en accueillant des expositions
d'art contemporain.

UN VILLAGE VU D'EN HAUT

Une ruelle pentue longe les flancs massifs du château et mène jusqu'au « plain »,
l'esplanade qui surmonte tout le village. Cette terrasse donne également sur l'église,
dernier édifice avant les reliefs boisés encadrés par deux ravins. Construit en brèche volcanique rouge, le sanctuaire, de style roman, date vraisemblablement du XIIᵉ siècle. Malgré
l'ajout d'un clocher et les remaniements menés au XIXᵉ siècle, notamment sur la nef et
la façade occidentale, il a gardé dans son ensemble son aspect d'origine. À l'intérieur, le
chœur conserve d'élégants chapiteaux romans, décorés de feuilles d'acanthe, tandis que
la chapelle nord est ornée de culots sculptés de personnages. De l'autre côté, en direction

Dialogues entre châteaux

Des signaux étaient échangés au Moyen Âge entre le château de Saint-Privat et ceux de Mercœur et de Rochegude. Situé à 2 km au nord du village, le premier se réduit désormais à un donjon flanqué d'un petit corps de logis, ensemble majestueux qui était encore habité en 1914. Du second, dont les origines remontent au XIIIe siècle et qui fut une importante sentinelle, subsiste une unique tour que la commune de Saint-Privat a récemment acquise.

du nord, s'étend le village. Ses hautes maisons de pierre aux allures montagnardes peuvent atteindre quatre étages. Coiffées de toitures en tuile, elles s'alignent le long des deux routes principales qui traversent le bourg. L'une d'elles correspond à la via Podensis, la plus ancienne des routes menant à Compostelle, qu'empruntent encore, tout au long de l'année, de nombreux pèlerins.

À LA DÉCOUVERTE DE SAINT-PRIVAT-D'ALLIER

Enserrées par la boucle formée par la rue Doignon, les principales rues du vieux bourg convergent vers la place Georges-Pompidou, où s'élèvent la mairie, l'église et un centre d'art et d'artisanat. Le château du Luguet, où est installée la bibliothèque municipale, se distingue par ses deux tours, l'une ronde, l'autre carrée. Par la rue d'Empeyssine, on gagne la place du même nom : n'hésitez pas à faire halte à L'Herminette, une échoppe où sont exposés plus de six cents outils des métiers du bois.

Ci-dessous : Monistrol-sur-Loire, jadis résidence d'été des évêques du Velay, compte sur son territoire plusieurs châteaux. Celui des Évêques, construit au XIIIe siècle et remanié aux XVe et XVIIe siècles, abrite aujourd'hui un hospice. Le patrimoine religieux comprend l'église Saint-Marcelin (XIIe-XVIIe s.), la chapelle des ursulines (XVIIe s.), dans laquelle se trouve un retable, œuvre du sculpteur montpelliérain Vanneau, ainsi que la chapelle romane du château de Foletier.

Village pratique

Habitants : Les Privadois.
Informations touristiques :
Office de tourisme du Puy-en-Velay, place du Breuil, 43000 Le Puy-en-Velay.
Tél. : 04 71 09 38 41.
Site internet : www.ot-lepuyenvelay.fr
Mairie, le Bourg, 43580 Saint-Privat-d'Allier.
Tél. : 04 71 57 22 13.
Site internet :
www.mairie-saintprivatdallier.fr

Comment s'y rendre ?
• À 20 km à l'ouest du Puy-en-Velay
  par la D 589.
• Gares : Monistrol-d'Allier,
Le Puy-en-Velay et Langeac.
• Aéroport : Le Puy-en-Velay.

Que rapporter ?
• Des lentilles vertes du Puy.
• De la charcuterie de pays
  (saucissons secs, saucisses fraîches...).
• Du saint-nectaire fermier
  et du beurre de baratte.

Autour du village

SAUGUES

Isolé au cœur du plateau de la Margeride, terre d'une beauté sauvage, Saugues
est dominé par son donjon médiéval. Ses marchés, son riche patrimoine religieux et son musée consacré
à la « bête » du Gévaudan confèrent au village un attrait indéniable.

Ci-dessus : l'orgue de l'église Saint-Médard est signalé dès 1678. Le buffet a été restauré au XVIIIe siècle, la partie instrumentale, restaurée ou refaite vers 1830-1840. L'ensemble a fait l'objet d'une nouvelle restauration en 1980. Le buffet, en pin et en chêne taillés, est orné d'angelots et de motifs végétaux.

La vie du village

Une terre d'élevage

Autour de Saugues, les troupeaux d'ovins paissant sur les pelouses rases des hauteurs de la Margeride sont encore nombreux. Classé quatrième foire nationale aux ovins, le grand marché aux bestiaux du bourg rappelle chaque semaine que le Velay est resté une importante terre d'élevage. Après le marché aux veaux du lundi se tient le marché aux ovins le vendredi, tandis que les broutards occupent la place les 1er et 3e lundi du mois.

154 Ci-dessus : la collégiale Saint-Médard se compose de trois parties distinctes. Le clocher-porche date de l'époque romane (la partie supérieure a été remaniée vers 1920). La nef et le chœur montrent des vestiges de l'ordonnance romane primitive, tandis que le chevet présente un mélange de voûtement ogival et d'architecture classique. L'édifice actuel résulte sans doute d'une reconstruction au XVIIe siècle. Quant à la façade occidentale, elle a été bâtie au XIXe siècle dans le style néogothique.

En pleine guerre de Cent Ans, le pays dévasté est la proie des pillards, des routiers et des mercenaires qui terrorisent les campagnes. Au mois de mars 1362, l'une de ces bandes s'empare de Saugues. Menées par le maréchal d'Audrehem, les troupes dépêchées sur place par Charles V ne parviennent pas à libérer la cité. Aussi d'âpres négociations sont-elles entamées avec les occupants, qui ne cèdent la place qu'en échange de monnaies sonnantes et trébuchantes.

UNE PLACE FORTE DU GÉVAUDAN

Parce que, en ces temps belliqueux, l'ennemi, quel qu'il soit, est appelé « anglais », la tour où se replièrent les routiers porte le nom de tour des Anglais. Un premier donjon se dresse sans doute dès le IXe siècle, mais le château seigneurial qui veille sur la cité durant de longs siècles est bâti en 1151 par les barons de Mercœur. Il est encore debout quand éclatent les guerres de Religion, durant lesquelles Saugues renforce ses remparts et se dote de trois couleuvrines (petits canons conservés aujourd'hui sur la terrasse du donjon). Ainsi

Ci-contre à gauche : la chapelle des Pénitents a été construite vers 1681 par la confrérie des Pénitents blancs et s'est vu adjoindre une sacristie en 1783. C'est l'une des rares chapelles de Pénitents encore visible dans le département.

À droite : Pierre Romançon (1805-1862) est plus connu sous le nom de frère Bénilde. Celui qui s'occupa longtemps et avec beaucoup de dévouement de l'école de Saugues a été canonisé en 1967. La châsse qui contient ses restes se trouve dans l'église Saint-Médard.

Un donjon flambant neuf

La vieille tour des Anglais était dans un triste état lorsque Lucien Gires (1937-2002), artiste et enfant du pays, en entreprit la restauration. Désormais remis à neuf, le donjon carré abrite plusieurs fresques de cet artiste consacrées à la forêt et aux travaux des champs, ainsi qu'un petit musée sur la faune et la flore de la région. Depuis la terrasse, on jouit d'un splendide panorama sur le village, qui révèle le tracé concentrique de ses rues, et sur le plateau de la Margeride.

défendue, la place forte accueille les états généraux du Gévaudan en 1580, puis devient capitale du haut Gévaudan. Plus paisibles, les siècles qui suivent sont rythmés par les marchés et les foires, par le commerce des feutres, des toiles et des esclops (sabots de bois) exportés à dos de mulet. À l'exception du donjon, le château disparaît dans le grand incendie qui ravage le bourg dans la nuit du 4 au 5 septembre 1788.

UNE TERRE DE FOI

Vieille terre de foi, Saugues était une halte pour les pèlerins qui faisaient route depuis la Bourgogne et le Lyonnais vers Saint-Jacques-de-Compostelle. Ils faisaient étape à l'ancien hôpital Saint-Jacques, devenu hospice et allaient prier la Vierge conservée dans la collégiale Saint-Médard. De fondation romane (début du XIIIᵉ s.), cette église fut agrandie à l'époque gothique (début du XIVᵉ s.), puis remaniée au xixe siècle. Elle abrite la châsse de saint Bénilde, instituteur et directeur de l'école de Saugues de 1841 à sa mort en 1862, canonisé en 1967. Dans la maison Saint-Bénilde, un diorama permet aux visiteurs de découvrir la vie du bienheureux et sa place dans l'histoire des Sauguains. Non loin s'élève la chapelle des pénitents blancs, reconstruite après l'incendie de 1788 et ornée d'un magnifique retable. De là part, le soir du Jeudi saint, la procession des pénitents qui, vêtus et cagoulés de blanc ou de rouge, s'en vont par les rues du village en portant la croix processionnelle en chantant le Miserere. Après la procession, les paroissiens se retrouvent dans les restaurants du village pour déguster – c'est la tradition – des cuisses de grenouille persillées accompagnées de pain à l'anis.

À LA DÉCOUVERTE DE SAUGUES

Le centre historique concentre dans un mouchoir de poche quelques-uns des principaux monuments du village : la collégiale avec son clocher-porche octogonal, le donjon, le musée fantastique de la Bête du Gévaudan, la chapelle des pénitents et le diorama consacré à saint Bénilde. Rue des Tours-Neuves, le boulevard extérieur ceinturant l'est du vieux quartier, vous découvrirez la maison familiale de l'écrivain Robert Sabatier.

Ci-dessous : Saint-Arcons-d'Allier, qui fait partie des petites cités de caractère du département de la Haute-Loire, est situé sur une chaussée basaltique entre les gorges de la Fioule et de l'Allier. Restauré avec un grand respect du patrimoine, le village compte un musée du Fer-blanc, unique en son genre en France.

Face à la bête

Étonnant musée que celui que Saugues consacre à la bête du Gévaudan ! Sur 400 m², vingt-deux tableaux grandeur nature mettent en scène soixante-huit personnages de plâtre racontant l'effrayante histoire de cette « bête » qui terrorisa la région entre 1764 et 1767. Des décors et des costumes d'un grand réalisme permettent au visiteur de faire une plongée dans le XVIIIᵉ siècle, côté campagne et côté ville : car, outre les scènes situées à Saugues, on découvre également la cour de Louis XV et celle de l'évêque de Mende.

Village pratique

Habitants : Les Sauguains.
Informations touristiques :
Office de tourisme, cours du Docteur-Gervais, 43170 Saugues.
Tél. : 04 71 77 71 38.
Mairie, rue de l'Hôtel-de-Ville
Tél. : 04 71 77 71 30.

Comment s'y rendre ?
• À 50 km à l'ouest du Puy-en-Velay par la D 589.
• Gares : Le Puy-en-Velay, Langeac.

Que rapporter ?
• Des produits artisanaux en feutre.
• Des casse-tête, puzzles et jouets en bois.
• Des fromages d'Auvergne.

Autour du village

CHEMIN D'ARLES

Béost

Village de la vallée d'Ossau, Béost était une étape pour les pèlerins en route vers Compostelle, vocation passée que rappellent certains éléments de son patrimoine. Essentiellement agricole, le bourg est resté authentique et cultive avec soin ses traditions.

Ci-contre : fils de Zébédée et frère de saint Jacques l'Évangéliste, saint Jacques le Majeur, est l'un des douze apôtres. Une statue à son effigie (XVIIIe siècle) se dresse dans l'église du village qui porte son nom.

Berger et botaniste

Né à Bagès en 1797, Pierrine Gaston-Sacaze, issu d'une famille de bergers, se prend de passion pour la botanique et, remarqué par le pharmacien de Laruns, parfait son éducation, apprenant notamment le latin et le grec. Il crée un herbier de plus de trois mille fleurs et donne son nom à une fleur endémique des Pyrénées, le grémil de Gaston (Lithospernum gastonis). Il meurt en 1850, un peu oublié après avoir fait figure de célébrité dans la vallée. Créée en 1992, l'association Gaston-Sacaze s'attache à faire connaître cette figure locale. Elle a même obtenu que soit édité un timbre à son effigie.

Ci-dessus : l'église Saint-Jacques-le-Majeur (XIIe-XIXe siècle) est dédiée au premier des apôtres à avoir subi le martyre et dont le corps, selon la légende, aurait été transporté miraculeusement à Saint-Jacques-de-Compostelle. Rien de surprenant à ce que l'on retrouve une église placée sous son patronage sur la route des pèlerins.

Un jour de 1968, des ouvriers occupés à des travaux de restauration dans l'église firent une étrange et macabre découverte : celle d'une trentaine de squelettes humains, emmurés dans les combles du clocher. S'agit-il, comme on l'a pensé, de pèlerins revenus de Compostelle malades de la peste et dont on aurait enfoui les cadavres par peur de la contagion ? Des documents faisant état d'une épidémie de peste qui aurait ravagé la vallée en 1602 accréditent l'hypothèse...

SUR LA ROUTE DE SAINT-JACQUES

Constituant un relais entre les hospices de Mifaget et de Gabas sur un chemin secondaire du pèlerinage de Saint-Jacques passant par la vallée d'Ossau, Béost a conservé de nombreux témoignages rappelant sa vocation d'accueil. Séparé de l'église par une remise, où stationnait le corbillard, le château, solide demeure dotée au XVIe siècle d'une élégante porte à encadrement sculpté, arbore sur son toit d'ardoise un motif signalant aux jacquets une maison amie où ils trouveraient le gîte et le couvert. Et dans l'église, placée sous le

Ci-contre : le hameau de Bagès domine Béost et tous les villages de la vallée de l'Ossau. C'est là que Pierrine Gaston-Sacaze (1797-1893), botaniste de renom, a vu le jour.

La vie du village

La langue retrouvée

En 1997, Alain Fortané, géologue de formation devenu instituteur par vocation, crée à Beost, qui n'avait plus d'école, la *Calendreta ausseleta* (« petite alouette ossaloise »), une école maternelle laïque où l'on enseigne à la fois le français et l'occitan tel qu'on le parle dans la vallée d'Ossau. Alain Fortuné a quitté Béost, mais l'expérience continue, et, à l'heure de la récréation, les vieux habitants entendent avec émotion cette langue qu'ils pensaient voir s'éteindre avec eux…

patronage de saint Jacques le Majeur, impossible d'ignorer la belle statue du saint représenté avec la pèlerine, la calebasse et le bourdon, attributs traditionnels des hommes de foi qui bravaient mille dangers pour se rendre en Espagne. Datant des XIIᵉ et XIIIᵉ siècles, mais très remanié au XIXᵉ siècle, le sanctuaire, flanqué d'un imposant clocher carré, montre vers la place principale son visage le plus aimable, avec son portail de marbre blanc surmonté d'un Christ en majesté. Les douze apôtres, accompagnés de quatre anges, figurent sur l'archivolte. Il se trouva bien, à l'époque de la Révolution, un vandale pour marteler les délicates sculptures, mais il dut bientôt interrompre son travail de destruction, ayant reçu, dit-on, un éclat de marbre dans l'œil…

UNE IDENTITÉ CONSERVÉE

Minuscule village qu'anime, chaque été, la transhumance des moutons prenant la direction des estives du col d'Aubisque, Béost réserve bien des surprises au promeneur, qui ne se lassera pas de déchiffrer, de maison en maison, les inscriptions figurant sur les linteaux, tous taillés dans le marbre que, depuis des siècles, on extrait des carrières de

161

Ci-dessus : la municipalité a créé un parcours à travers le village pour permettre aux visiteurs d'admirer la grande diversité des inscriptions et des décorations des maisons. Certaines sont ornées de la coquille rappelant que Béost est une étape sur le chemin de Saint-Jacques-de-Compostelle.

Que d'eaux !

La commune est arrosée par l'Ouzoum qui irrigue largement les pâturages de la montagne. Cet affluent du gave de Pau est grossi par de nombreux ruisseaux, appelés ici arrecs. Béost est également arrosé par un affluent du gave d'Ossau, le ruisseau de Canceigt, dont les flots impétueux ont à plusieurs reprises menacé les fondations de l'église Saint-Jacques… Un autre affluent du gave d'Ossau, le Valentin, alimente plusieurs ruisseaux, dont celui de Portaig.

Louvie-Soubiron. Au sud-est du village, le hameau de Bagès, que l'on atteint en empruntant la D 391, est plus franchement montagnard encore, avec ses vieilles fermes toutes dotées de leurs bergeries où les brebis, redescendues de la montagne à la Saint-Michel, passent l'hiver au chaud. Ici, l'authenticité n'est pas un vain mot…

À LA DÉCOUVERTE DE BÉOST

Visitez l'église, qui abrite, outre un retable du XVIIe siècle, une belle Vierge de pitié en marbre blanc, puis faites le tour du château. Dans le village, rendez-vous au café de la Fontaine (qui fait aussi restaurant) et déchiffrez l'inscription figurant sur le linteau : « Ceci a été fait par la provenance de Jacques Pes dit Trey en l'an VIII de la République. » Allez voir, rue Cap-Dessus, le lavoir du XVIIe siècle, récemment restauré, placé en contrebas d'un rocher d'où dévale une source, puis gagnez le hameau de Bagès, où s'élève la chapelle Sainte-Catherine.

Ci-dessous : à 4 km du col d'Aubisque, la station de Gourette (1 400 m d'altitude) bénéficie de panoramas somptueux, vierges de toute urbanisation. En hiver, les skieurs s'en donnent à cœur joie sur les quelque 90 km de pistes dominées par le pic du Ger (2 614 m) et le Pène-Médaa (2 520 m).

Village pratique

Habitants : Les Béostiens.
Informations touristiques :
Mairie, le Bourg, 64440 Béost.
Tél. : 05 59 05 31 93.

Comment s'y rendre ?
• À 32 km au sud-est d'Oloron-Sainte-Marie par la N 134, la D 920, la D 918, la D 934 et la D 240.
• Gare : Pau.
• Aéroport : Pau-Béarn.

Que rapporter ?
• Des fromages fermiers de Roger Casabonne Angla, au hameau de Bagès.
• Des jouets en bois fabriqués dans l'atelier d'Henry Courtié, à Eaux-Bonnes.
Des produits régionaux (salaisons, fromages, vins, miel), au Panier gourmand, à Laruns.

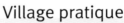

Autour du village

Gave d'Aspe
Bielle
Grottes de Bétharram
Béost
Col d'Aubisque
Laruns
Accous
Aucun
Eaux-Bonnes
Gourette
Lescun
Lac d'Ayous

Brousse-le-Château

Entre les vallées du Tarn et de l'Alrance, le village occupe un promontoire escarpé :
ses maisons s'agrippent au rocher au pied d'une forteresse médiévale. Avec son église fortifiée
et son pont gothique, c'est l'un des plus séduisants bourgs du Rouergue.

164

Ci-dessus : le village
occupe un site
magnifique, dominant le
confluent du Tarn et de
l'Alrance. Les flancs
de l'éperon rocheux
auquel il s'accroche
étaient autrefois couverts
de jardins en terrasses
dans lesquels on cultivait
la vigne.

Un cartographe fidèle en Rouergue

Né en 1747, Jacques François Loiseleur Deslongchamps
arriva en Rouergue à vingt-deux ans, pour contribuer à
l'œuvre de Cassini : la première carte précise de la France,
établie par la méthode des triangulations. Il y travailla dix
ans, tomba amoureux de la région… et d'une jeune bergère
qu'il épousa. De 1807 à sa mort, en 1843, il vécut près de
Brousse, sur le Puech Cani, multipliant expériences
botaniques et mesures d'altitude. On peut voir sa tombe à
Broquiès, dans l'église Saint-Cyrice.

Amour ou ambition ? En 1346, le fils du
seigneur Hugues II d'Arpajon s'éprend de
la fille du baron Ratier de Castelnau.
Jean a un peu plus de vingt ans, Hélène, elle,
n'en a que six. Il l'enlève pourtant et se retranche
avec elle au château de Brousse. Le roi, alerté par
les parents ulcérés, y dépêche en 1348 son plus
rusé capitaine. Assaut repoussé, fausse retraite et irruption surprise : celui-ci a vite fait de
délivrer l'enfant. Hugues se plaindra plus tard des dégâts causés par l'intervention… mais
n'en épousera pas moins la mère de la fillette, dès la mort du baron.

DES MURS PLEINS DE FANTÔMES

L'orgueilleuse forteresse de Brousse, perchée sur un long et mince éperon rocheux au
confluent du Tarn et de l'Alrance, garde en souvenir de cet épisode une tour dite de la
Princesse, où la fillette fut retenue. Une autre tour, celle du Prisonnier, conte une histoire
plus sombre encore : Bernard VII d'Armagnac y enferma son cousin après lui avoir brûlé
les yeux. Mentionné pour la première fois au xe siècle, le castel Brutia (du latin populaire
brucari, « champ de bruyère ») fut initialement bâti par les comtes du Rouergue et gardait,
contre péage, le passage du Tarn. Passé aux mains des seigneurs d'Arpajon, il s'agrandit et
se renforça pendant la guerre de Cent Ans, formant avec ses tours et ses courtines un
polygone irrégulier qui nous est parvenu presque intact, avec sa basse cour, sa cour noble,
ses remparts et son logis Renaissance couronné de mâchicoulis.

La vie du village

Une renaissance

Propriété des Arpajon durant cinq cents ans, puis converti en presbytère au milieu du XIXe siècle (certaines parties furent alors démontées et les pierres vendues), le château fut restauré à partir de 1961 par l'association Vallée de l'Amitié, récompensée par un prix « Chef-d'œuvres en péril ». La mairie de Brousse en assure à présent l'animation, avec des expositions de peintures et de sculptures chaque été, ainsi qu'un petit musée de photos et d'outils anciens.

QUAND LA PLACE EST COMPTÉE

Le village, dont les hautes maisons de pierre brute semblent taillées à même la roche abrupte, s'étage au-dessus de l'Alrance, parcouru seulement de calades étroites et bancales semées d'herbes folles. Jusqu'au XVe siècle, la chapelle castrale (rasée au XIXe : seuls demeurent les murs de la sacristie) lui servit d'église. Puis, irrité par le passage incessant des pèlerins de Compostelle, Jean III d'Arpajon fit élever l'actuelle église Saint-Jacques. Sa large tour-clocher romane, ouverte en balcon sur l'arrière, flanquée d'une jolie tourelle ronde, contraste avec sa grande nef gothique et son chœur en ogive dont les murs blancs rehaussés de niches pastel mettent en valeur le mobilier et les ors de l'autel. Face au porche en auvent, sur son flanc sud, se logent un petit cimetière et un adorable oratoire en à-pic, au toit de lauzes à quatre pentes porté par des piliers de pierre. Au bas du village, un vénérable pont roman piqué d'un Christ en croix rejoint la rue basse, régulièrement submergée par les crues, où s'alignent les maisons les moins anciennes. En laissant juste assez de place pour un jeu de boules et une petite plage aménagée pour les baigneurs et les amateurs de pêche à la truite.

Ci-dessus à gauche : on accède au vieux village par un pont pavé, comme les rues, de pierres juxtaposées. Cette disposition était destinée à empêcher que les sabots des animaux ne dérapent.

À droite : l'oratoire qui se trouve dans le cimetière attenant à l'église date du XVe siècle. Il a été inscrit au titre des Monuments historiques en 1937.

Le château en détail

La majeure partie de l'enceinte fortifiée du château demeure indemne. C'est une véritable leçon d'architecture militaire médiévale, malgré les remaniements ultérieurs. On notera les tours « à gorge ouverte » qui, une fois prises, ne pouvaient servir d'abri aux assaillants, ou encore le fossé cyclopéen taillé à même le roc. La tour Picarde, comportant sept étages voûtés, était la plus haute du Rouergue. Elle fut arasée vers 1850, quand le château servait de presbytère.

Ci-dessous : déjà mentionné au IXe siècle, le château de Coupiac fut jusqu'au XIIIe siècle la possession conjointe des comtes et des évêques de Rodez, avant de passer à la famille de Planat qui le fit reconstruire à la fin du XVe siècle. Propriétaire des lieux à partir de 1778, Izarn de Méjanel modernisa l'édifice en supprimant les éléments défensifs, en agrandissant les ouvertures et en créant une nouvelle façade. Acquis par la commune en 1981, le château est géré par une association chargée de son animation.

À LA DÉCOUVERTE DE BROUSSE-LE-CHÂTEAU

La petite route (D 54) qui longe l'Alrance traverse la rivière en amont du village. En bifurquant juste avant le pont, on rejoint directement à pied l'enceinte du château par la rue d'Arpajon. De là, on gagne l'église, puis, par une volée de marches, les venelles pentues qui dévalent vers le pont roman, ou encore la passerelle donnant sur le chemin de la berge, qui mène à un moulin-usine électrique. Au-delà, la rue Basse prolonge le village jusqu'au pont sur le Tarn.

Village pratique

Habitants : les Broussois.
Informations touristiques :
Mairie, Le Bourg, 12480 Brousse-le-Château.
Tél. : 05 65 99 41 14.
Fax : 05 65 99 47 80.
Syndicat d'initiative des Raspes du Tarn,
rue des Hortes, 12430 Le Truel.
Tél. et fax : 05 65 62 54 92.

Comment s'y rendre ?
• À 59 km au sud de Rodez par la N 88,
  la D 902, et à Réquista la D 54.
• Gare : Millau.

Que rapporter ?
• Du fromage de la laiterie Roquefort
  à Réquista.
• Des charcuteries de pays.

Autour du village

AUDE – RÉGION LANGUEDOC-ROUSSILLON

CUXAC-D'AUDE

Jadis, les crues de l'Aude ont fait la richesse de cette plaine narbonnaise où est bâti Cuxac-d'Aude.
Le village se rappelle qu'il fut étape d'accueil pour les pèlerins
en route vers Compostelle lors d'une fête célébrant saint Jacques.

La vie du village

Foires et marchés

Chaque année, au printemps, a lieu dans le magnifique parc de la Bourgade une grande foire appelée Naturalys, car tous les produits présentés, de fabrication régionale, ont un lien avec la nature. Par ailleurs, un marché de fruits et légumes se tient dans les halles les mardi, mercredi, jeudi et vendredi. Enfin, le dernier dimanche de septembre, une grande foire à la brocante réunit commerçants, brocanteurs professionnels et visiteurs.

Protégée par des digues et des déversoirs, l'ancienne cité gallo-romaine, appelée Géminian jusqu'au Xe siècle, s'est transformée au Moyen Âge en lieu d'accueil sur le chemin de Compostelle. Les pèlerins étaient assurés d'y trouver nourriture et soins. À l'heure où de nombreux marcheurs reprennent la route de Saint-Jacques, Cuxac-d'Aude se souvient…

Ci-dessus à gauche : l'église Saint-Martin fit l'objet de plusieurs campagnes d'agrandissement jusqu'au XIX siècle. Dans sa façade principale, presque aveugle, s'ouvre un portail en arc brisé dont les voussures retombent sur des colonnes monolithes.

À droite : un linteau orné d'une coquille Saint-Jacques, emblème traditionnel des pèlerins de Compostelle.

SUR LE CHEMIN DES PÈLERINS

Depuis quelques années, le samedi précédant la fête de saint Jacques (25 juillet), un groupe de marcheurs se réunit pour une balade jacquaire, partant du village et suivant une partie du chemin qu'empruntaient autrefois les pèlerins. Au-delà de sa convivialité, cette fête permet de renouer avec le passé. De la place Corbeil jusqu'à Notre-Dame-de-Magri, ce pèlerinage a imprimé son emblème, la coquille, sur nombre de maisons. Partant de la place Corbeil, autrefois située à l'intérieur des remparts (qui ceinturaient la cité au Moyen Âge et dont il ne subsiste que la porte Saint-Martin), face au chemin de l'Abreuvoir, on peut encore découvrir la fontaine (XIe s.) qui approvisionnait autrefois en eau potable villageois et pèlerins. La très étroite rue de l'Androune abrite dans une niche une petite

Une histoire de ponts

L'actuel pont des Lavandières est l'aboutissement d'une série d'aménagements successifs qui résument l'histoire de l'évolution technique de ce type de construction. Il fut inauguré en juin 1990. Jusqu'au début du XIXe siècle, le passage sur l'Aude s'effectuait en bac. Un pont suspendu à péage lui succéda en 1834. En 1901, il fut remplacé par un pont métallique fixe à deux voies (route et tramway) qui fut en service jusqu'à la fin des années 1980.

statue de saint Jacques portant le chapeau des pèlerins, le bourdon (bâton) à la main. Cuxac-d'Aude, dont le blason représente un agneau brandissant la bannière des croisés, a ainsi conservé les traces de son histoire médiévale empreinte de ferveur religieuse.

UN RICHE PATRIMOINE VITICOLE

L'autre aspect essentiel du village est à découvrir en se promenant sur les bords de l'Aude. Cette rivière, dont les débordements furent parfois la cause de drames (crues historiques de 1940 et de 1999), est aussi à l'origine de ce qui fit sa prospérité. Fertilisées par les dépôts d'alluvions, les terres viticoles alentour produisent aujourd'hui encore des vins de qualité, en particulier le vin blanc, exportés dans le monde entier. Traversé par une large avenue, Cuxac est animé par de nombreux commerces et entreprises artisanales. La petite cité compte également une quarantaine d'associations sportives et culturelles.

169

Ci-dessus à gauche : la chapelle des Pénitents blancs est accolée à l'église paroissiale. Cet édifice du XVIIe siècle renferme quatre statues de prophètes abritées dans des niches que séparent des colonnes en marbre rouge supportant un entablement orné d'une frise.

À droite : le maître-autel de l'église paroissiale s'orne d'un remarquable bas-relief d'inspiration baroque.

Une voix en or

Rien ne laissait présager l'extraordinaire carrière de Léon Escalaïs, qui naquit à Cuxac-d'Aude en 1859. Rien, si ce n'est sa voix exceptionnelle qui fit triompher sur scène cet homme de condition modeste destiné au travail de la vigne. Il connut son premier triomphe à l'Opéra de Paris, dans Guillaume Tell, en 1883, puis s'illustra sur toutes les scènes d'Europe et des États-Unis, avant de se consacrer à l'enseignement du chant. Mort en 1940, il repose dans le cimetière du village.

À LA DÉCOUVERTE DE CUXAC-D'AUDE

Partez de la place Corbeil, puis empruntez la rue de l'Androune. Par la rue Frédéric-Mistral, vous parviendrez à la porte Saint-Martin, avant de vous diriger vers l'église du même nom, sans oublier de faire un petit détour par la place Sieur-Aune où se situe la maison de Léon Escalaïs. Remarquez le portail de l'église (dont la partie la plus ancienne date du xe siècle), qui comporte des colonnettes monolithes, et à l'intérieur un bel ensemble de vitraux et une chapelle dédiée à saint Roch. Accolée à l'église, la chapelle des Pénitents blancs (XVIIe s.) abrite les statues des quatre grands prophètes ainsi qu'un baptistère en marbre. Enfin, un peu à l'écart, vers le nord-est, se trouve la chapelle Notre-Dame-de-Magri : elle fut, dès 1143, l'un des fiefs de cet ordre militaire au service des pèlerins qui, plus tard, devint l'ordre des Chevaliers de Malte. Le sanctuaire abrite une petite Madone en bois polychrome dont la main gauche est plus grande que la droite, signe d'un pouvoir de guérison.

Ci-dessous : la grange cistercienne de Fontcalvy, à Ouveillan, fut édifiée au XIVe siècle. Cette ferme dépendant de l'abbaye de Fontfroide sert de cadre, chaque été, à un festival historique. Fondé en 1990, le festival de Fontcalvy est dédié à la musique et au théâtre.

Village pratique

Habitants : Les Cuxanais.
Informations touristiques :
Syndicat d'initiative,
1, rue Saint-Jacques,
11100 Cuxac-d'Aude.
Tél. : 04 68 33 91 29.

Comment s'y rendre ?
• À 6 km au nord de Narbonne : prendre la direction de Béziers en suivant la D 13 jusqu'à Cuxac-d'Aude.
• Gare : Narbonne.
• Aéroport : Béziers.

Que rapporter ?
• Du vin, surtout du blanc, à la cave coopérative de Géminian.
• Du miel de toutes sortes (des garrigues, au romarin, au thym...).
• Des olives du Minervois.
• Du « pavé » narbonnais (gâteau).
• Des cochonnailles de la Montagne Noire.
• Du cassoulet au confit d'oie de canard.

Autour du village

GÉNOLHAC

La petite cité médiévale de Génolhac est située à la rencontre de la fameuse voie Régordane, route de pèlerinage, et des chemins de la Châtaigne. Ruelles étroites, places fleuries, passages voûtés et forêts touffues confèrent au village son caractère pittoresque.

La vie du village

Une splendide demeure
Ouverte à tous les amoureux des Cévennes, la maison du Parc national des Cévennes abrite le centre d'information du parc. Moniteurs, chercheurs, historiens et conférenciers se croisent et accompagnent les visiteurs dans la salle des archives mise à la disposition du public. En été, ses ravissantes caves aménagées proposent des projections libres dans un cadre rafraîchissant. Une exposition permanente évoquant le Parc national tapisse les murs de la maison.

L'enfant du pays

Né dans le canton de Génolhac en 1925, l'écrivain et conteur Jean-Pierre Chabrol, décédé en 2001, livre une œuvre dont l'esprit des maquis, l'âme des Cévennes et le combat des petits face aux grands sont les leitmotivs. En 1961, il publie Les Fous de Dieu, un ouvrage consacré aux camisards, véritable épopée cévenole qui manque d'obtenir le prix Goncourt avant d'être adaptée pour la télévision. Chaque année, de nombreuses manifestations culturelles entretiennent son souvenir dans toute la région.

Ci-dessus à gauche : massifs ou pots de fleurs, escaliers, passages voûtés jalonnent les ruelles de Génolhac. Ils donnent au bourg, situé dans la vallée de la Gardonnette, un coquet cachet médiéval.

À droite : la grand-rue est émaillée de façades anciennes agrémentées de pittoresques linteaux sculptés.

Le 21 décembre 1702, le chef camisard Joany commet un massacre à Génolhac : le prince de Conti est tué avec toute sa garnison de dragons. C'est le début de la guerre des Cévennes, qui oppose les partisans de la Réforme de certaines provinces du nord du Languedoc aux troupes catholiques du roi. Génolhac et sa région deviennent le théâtre de sanglantes tueries. Véritable village martyr, il voit tous ses huguenots décimés par l'armée royale...

UN PASSÉ TOURMENTÉ

Durant des siècles, la seigneurie de Génolhac fut partagée entre l'évêque d'Uzès et les différentes familles nobles de la région. Aux noms d'Anduze, Randon et Polignac succéda celui des Budos, dont la seule évocation faisait frémir les huguenots. La marquise de Budos, châtelaine de Génolhac, était en effet la grande organisatrice des dragonnades dans les Cévennes et fit de son château de Portes une prison pour les ennemis du catholicisme.

Un château historique

Le château d'Aujac se dresse sur son éperon rocheux depuis le XIIe siècle. Il est le dernier représentant parfaitement conservé d'un réseau de fortifications déployé à l'époque médiévale à Génolhac et dans les environs. Flanqué d'une tour carrée et d'une tour ronde, l'édifice illustre l'évolution de l'architecture castrale du Moyen Âge à la Renaissance. Dans le giron de ses remparts se déploie aujourd'hui le hameau du Cheylard, soigneusement rénové.

C'est elle qui permit les exactions commises par les soldats du roi logés chez l'habitant. Parmi eux, les tristement célèbres dragons de Villars : l'ancienne écurie (XVIIe s.) située au centre du village témoigne de leur séjour. Il faut attendre l'année 1810 pour que l'ancien couvent dominicain – fondé par la famille de Polignac en 1298 – devienne l'actuel temple protestant. L'église au clocher à peigne et la tour Bermonde (XIIe s.) constituent aujourd'hui les seuls vestiges de l'ancien château seigneurial.

UN PATRIMOINE MÉDIÉVAL

Petite cité fortifiée au xie siècle, Génolhac perdit ses derniers remparts après la guerre de Cent Ans quand fut décidée l'extension du village. Aujourd'hui, le bourg doit son charme

Ci-dessus, à droite et à gauche : l'église au beau clocher ajouré constituait une halte bienfaisante pour les pèlerins en route vers Saint-Jacques-de-Compostelle. Elle semble veiller sur l'amas de maisons anciennes qui bordent placettes et Grand-Rue.

à ses maisons anciennes, à ses passages voûtés menant à des jardins hauts en couleur et à ses places ombragées. La Grand-Rue constitue, quant à elle, un tronçon de la célèbre Régordane, ancienne voie de commerce au Moyen Âge et chemin de pèlerinage, notamment du Puy-en-Velay et à Saint-Gilles-du-Gard, qui vit passer les paladins de Charlemagne, Saint Louis, et aujourd'hui les randonneurs. Elle est jalonnée de vieilles demeures dont les façades de granit plusieurs fois remaniées représentent de véritables leçons d'histoire du XIIe au XIVe siècle. Parmi elles, le n° 42 de la Grand-Rue et l'actuelle pâtisserie comptent parmi les plus intéressantes. La façade du n° 42 est richement ouvragée : elle comporte quatre têtes humaines, quatre têtes d'animaux et un ensemble d'inscriptions et de motifs du plus bel effet taillés dans le grès. Une plaque apposée en 1995 témoigne de l'émigration vers les États-Unis de la famille huguenote des Bondurand.

À LA DÉCOUVERTE DE GÉNOLHAC

Laissez votre voiture place du Colombier et empruntez la rue Pasteur. Passez l'école maternelle et poursuivez à droite à l'intersection pour rejoindre le bas du bourg et visiter le temple, ou à gauche pour remonter la Grand-Rue et découvrir ses magnifiques linteaux sculptés. L'office de tourisme vous attend au premier croisement à gauche. Plus au nord, vous trouverez la place Saint-Pierre, où se dressent l'église et la tour carrée de l'ancien château.

Ci-dessous : le château de Portes remonte au XIe siècle. Remanié au XIVe siècle, il a été doté au XVIe siècle d'un haut bâtiment construit à l'angle de l'enceinte, à la singulière silhouette : il est pourvu au second étage d'une échauguette. Le maître d'œuvre serait Jean Despeisses.

Village pratique

Habitants : Les Génolhacois.
Informations touristiques :
Office de tourisme, L'Arceau,
30450 Génolhac. Tél. : 04 66 61 18 32.
Site internet :
www.cevennes-montlozere.com

Comment s'y rendre ?
• À 79 km au nord de Nîmes par la D 906.
• Gares : Nîmes (TGV), Génolhac.

Que rapporter ?
• Du pélardon, fameux fromage de chèvre des Cévennes.
• Du sirop et de la confiture de châtaignes.

Autour du village

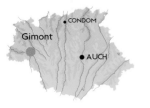

Gers – Région Midi-Pyrénées

GIMONT

Au cœur de paysages dont les vallonnements ensoleillés évoquent la Toscane,
la petite bastide de Gimont étire ses rues régulières le long d'une crête. Ses conserveries
et ses marchés au gras font de ce village une incontournable halte gourmande.

Haut lieu cistercien

L'abbaye de Planselve, fondée en 1142, a été occupée jusqu'à la Révolution. En partie détruite, elle a conservé un important mur d'enceinte en brique, un portail monumental et deux pigeonniers. De l'ensemble seul subsiste le bâtiment des convers, avec ses dix travées d'époque romane.

Ci-dessus en haut : la construction de l'église paroissiale fut projetée dès la fin du XIIIᵉ siècle et réalisée dans les premières années du siècle suivant. L'édifice comporte une large nef unique et un chœur à sept pans, avec chapelles rayonnantes logées entre les contreforts. Le sanctuaire abrite un triptyque Renaissance sur le thème de la Crucifixion.

À la porte de la halle, acheteurs et simples visiteurs se bousculent, discutent et s'impatientent. Soudain, le coup de sifflet retentit : le marché au gras est ouvert. Sur les étals, canards et oies se disputent la vedette. Ce rituel, qui se déroule chaque mercredi ainsi que le dimanche matin de novembre à mars, est l'un des moments forts de la vie gimontoise, l'une des grandes « capitales du gras » de la région.

LA BASTIDE DE FRANCHEVILLE

En 1142, l'abbaye de Planselve est fondée sur les rives de la Gimone. En 1266, Alphonse de Poitiers, frère de Saint Louis, crée une bastide à proximité de ce haut lieu de la vie cistercienne. Baptisée Francheville, elle est bâtie au sommet d'une colline allongée. Se calquant sur la topographie, son plan géométrique est axé sur une longue rue principale doublée par deux rues parallèles que coupent des transversales régulières. Chose singulière,

Ci-contre à gauche : la halle date du XVᵉ siècle. Elle fut exhaussée et remaniée au XVIIIᵉ et au XIXᵉ siècle.

À droite : la maison de l'Arceau s'élève à l'angle de la rue Nationale et de la rue de l'Arceau. Elle est inscrite à l'Inventaire supplémentaire des Monuments historiques.

Ci-dessous : la conserverie Comtesse du Barry fut fondée en 1908 par Joseph et Gabrielle Dubarry, qui, s'inspirant d'une amusante homonymie, prirent comme emblème de leur marque le nom de la favorite de Louis XV. Dès 1936, l'entreprise se lança dans la vente du foie gras par correspondance.

La vie du village

Chère gasconne

Outre le marché au gras du mercredi, la « Grasse Matinée » dominicale est un moment incontournable de la vie gimontoise. Destiné aux particuliers, ce marché très animé résonne des coups de couteau rapides et précis des découpeurs de canards et d'oies, qui officient tout de blanc vêtus. En mars, la journée des Saveurs réunit de nombreux producteurs de la région : de l'apéritif au digestif en passant par la charcuterie et les conserves, tous les produits gascons y sont représentés.

la halle, en plein cœur du bourg, est traversée par la rue principale. Un système de fossés de 4 à 5 m de largeur protège la petite cité, qui prend bientôt le nom de Gimont. Avec ses murs et son portail en brique, l'église paroissiale, du XIVᵉ siècle, est déjà toulousaine. Plus récent, son clocher octogonal à trois étages est le point le plus haut de la bastide, qui a conservé de nombreux édifices du Moyen Âge et de la Renaissance. Ainsi en est-il de la maison du Corpore Christi (XIVᵉ s.), qui accueillait autrefois une confrérie, de la tour de l'Évesquerie, résidence d'été des évêques de Lombez, ou de la remarquable chapelle Notre-Dame de Cahuzac, bâtie en 1513 au pied de la cité.

LE FIEF DU FOIE GRAS

Dans la seconde moitié du XIXᵉ siècle, la création de la ligne Toulouse-Auch donne un nouvel essor à Gimont, dont l'élevage des oies et des canards est l'une des principales ressources. Deux conserveries de renommée internationale (Comtesse du Barry et Ducs

Notre-Dame de Cahuzac

En 1513, un berger qui garde ses vaches aux abords de la bastide tombe sur un orme dont le tronc abrite une petite statue de la Vierge. Une chapelle est immédiatement élevée sur le site. Achevé en 1530, le sanctuaire en brique et pierre, inspiré du gothique toulousain, devient l'objet d'un important pèlerinage. Sous la voûte sont conservés des vitraux du XVIe siècle, des statues et un retable Renaissance. On peut y admirer plus de quatre cents plaques de marbre et ex-voto déposés au fil du temps par les pèlerins.

de Gascogne) y sont installées depuis plusieurs générations. Chaque semaine, une foule nombreuse se presse pour assister aux foires au gras, désormais organisées sous la grande halle moderne située aux portes de la bastide. Plusieurs musées mettent en valeur le terroir et les spécialités de Gimont : le petit musée de l'Oie et du Canard évoque ainsi l'histoire du foie gras à travers une scénographie originale. Quant au Conservatoire de la vie agricole et rurale, il présente de nombreux outils anciens et décrit la vie quotidienne d'autrefois et les métiers anciens. Enfin, le Musée cantonal, installé près de la halle, abrite une intéressante collection d'objets (paléontologie, préhistoire, gallo-romain, Moyen Âge).

À LA DÉCOUVERTE DE GIMONT

Garez-vous sur l'un des parkings situés boulevard du Nord, puis gagnez la rue principale, dite rue Nationale. Vous y découvrirez la somptueuse halle à trois nefs et, à un moulon (pâté de maison) de distance, l'église paroissiale. Dans les rues adjacentes, vous admirerez quelques belles façades (notamment rue de l'Arceau où s'élève la tour de l'Évesquerie), puis quittez la bastide par l'avenue de Cahuzac pour voir les beaux vestiges de l'abbaye de Planselve.

Ci-dessous : sis sur une hauteur dominant la vallée de la Save, le château de Caumont, à Cazaux-Savès, fut bâti au XVIe siècle par Pierre de Nogaret de La Valette sur l'emplacement d'un ancien château fort. L'édifice vit naître en 1554 Jean-Louis de Nogaret, favori d'Henri III qui le fit duc d'Épernon. Flanqué de quatre tours en losange, le château se compose de trois corps de bâtiment. L'aile sud fut reconstruite au XVIIe siècle, après un incendie.

Village pratique

Habitants : Les Gimontois.
Informations touristiques :
Syndicat d'initiative, 83, rue Nationale,
32200 Gimont. Tél. : 05 62 67 77 87.

Comment s'y rendre ?
• À 28 km à l'est d'Auch par la N 124.
• À 50 km à l'ouest de Toulouse par la N 124.
• Gare : Gimont.

Que rapporter ?
• Des foies gras, des confits, des magrets
  et des gésiers, des conserves fines...
• Du jambon d'Auch
  et autres salaisons du Gers.
• Des croustades aux pommes
  parfumées à l'armagnac.

Autour du village

GERS – RÉGION MIDI-PYRÉNÉES

L'ISLE-JOURDAIN

Situé à l'est du Gers, dans le val de Save, L'Isle-Jourdain allie le charme
de la Gascogne aux couleurs toulousaines. Fière de son patrimoine, la petite bourgade s'épanouit
entre de douces collines et de verdoyants coteaux.

Ci-dessus : cette grande demeure fut construite à la fin du XIXe siècle par le marquis et la marquise de Panat. D'inspiration médiévale, le « château de la Marquise » est caractéristique de l'éclectisme en vogue à l'époque.

Ci-dessus : la collégiale ne possède pas de clocher mais une tour, vestige de la première collégiale construite à L'Isle, en tient lieu. À cette tour, haute de 33 m, est accolée une autre, plus petite, abritant une horloge.

La vie du village

Du bon et du beau

À L'Isle-Jourdain, on part du principe que, pour bien connaître un produit, il faut le fabriquer de ses propres mains. Ainsi, un stage de préparation de foie gras est proposé au Pigeonnier de Guerre, sur la route de Grenade. L'occasion d'apprendre à choisir son foie gras cru, à le dénerver dans les règles de l'art et à en maîtriser la cuisson. Un savoir-faire qui fera des envieux !

La légende raconte que, comme nombre de ses pairs, le seigneur du lieu, accompagné de son épouse, partit un jour pour la croisade et qu'un fils lui naquit en Terre sainte. Il le fit baptiser dans les eaux du Jourdain et lui donna le nom du fleuve. Quand ce fils rentra sur ses terres gasconnes qui, à l'époque, émergeaient telle une île au milieu des marais, ces dernières furent nommées « l'Isle à Jourdain », appellation qui sera transformée en L'Isle-Jourdain.

LA DOUCEUR DE VIVRE

La devise de la cité tient en ces mots : *Hospes Atque Fidelis*, « accueillante et fidèle », et le bourg ne déroge pas à cette règle. Jadis étape sur la route de Saint-Jacques-de-Compostelle, le village attire de nos jours de nombreux touristes qui apprécient sa

Un musée sous une halle

Le musée européen d'Art campanaire conserve une collection de plus de mille cloches et objets sonores qui couvrent une période de quatre millénaires et proviennent du monde entier. Grelots, carillons, horloges, crécelles… tous témoignent d'un savoir-faire qui se perpétue à travers les siècles. Ce musée rappelle également l'attachement des habitants de la vallée de la Save gersoise pour tout ce qui rythma leur vie : carillons populaires ou clochettes de bœufs, les tintements font ici partie de la tradition.

luminosité, sa gastronomie et ses monuments. Vigilants sur la qualité de leur cadre de vie, ses habitants préservent avec soin l'authenticité de leur territoire. La proximité de L'Isle-Jourdain avec le premier pôle aéronautique européen – le village est situé à 33 km de Toulouse – a attiré de nouvelles populations qui y trouvent un havre de paix pour se loger et de nombreuses activités de détente et de loisirs à pratiquer. Outre la base de loisirs du Lac, de multiples sentiers, praticables à pied, à vélo ou à cheval, serpentent entre vallons et coteaux ; les emprunter permet de découvrir tous les charmes du val de Save, à commencer par les élégants pigeonniers qui émaillent les collines ou par les fontaines et les lavoirs des petits villages perchés, dispersés dans un paysage sauvage et préservé.

UN BEAU PATRIMOINE

De la cité médiévale qui fut une importante seigneurie tout au long du Moyen Âge subsiste une tour du XIVe siècle, intégrée dans une collégiale du XVIIIe siècle à la façade néoclassique. Plus récents, deux édifices sont aussi dignes d'intérêt : la belle halle aux grains du XIXe siècle,

Ci-dessus à gauche : cette maison située face à la halle aux grains fut bâtie en 1903 par Claude Augé (1854-1924). Natif de L'Isle-Jourdain, il épousa une petite nièce par alliance de Pierre Larousse et fut l'un des directeurs de la célèbre maison d'édition parisienne.

181

Un pissenlit semé au vent

Située rue du 14-Juillet, la maison de Claude Augé est réputée pour ses vitraux Art nouveau, dont l'un est connu de tous : l'original de La Semeuse, l'emblème des Éditions Larousse. Qui ne connaît en effet le fameux « Je sème à tout vent », réclame du célèbre dictionnaire, et la gracieuse figure féminine qui souffle sur les graines d'un pissenlit ? On en profitera pour découvrir les œuvres de Claude Augé, le créateur du *Petit Larousse illustré* (1905), natif de L'Isle-Jourdain.

réhabilitée en musée européen d'Art campanaire, et la maison de Claude Augé, un élégant hôtel particulier construit au début du Xe siècle, où vécut à la fin de sa vie le créateur du *Dictionnaire complet illustré* (1889) qui devint en 1905 le célèbre *Petit Larousse illustré*. L'Isle-Jourdain possède encore d'autres atouts : le village et sa région proposent une cuisine de terroir appréciée des visiteurs du monde entier. Ainsi les foies gras d'oie ou de canard, les magrets, les confits et croustades, emblématiques des saveurs locales…

À LA DÉCOUVERTE DE L'ISLE-JOURDAIN

Commencez par visiter la collégiale où vous remarquerez une statue de saint Bertrand, évêque du Comminges, et une Pietà du XVIIIe siècle. Gagnez ensuite la maison de Claude Augé et admirez ses vitraux et son élégante architecture. En traversant la place de l'Hôtel-de-Ville, rendez-vous à la halle-musée pour découvrir l'art campanaire. Rejoignez enfin la place Gambetta, fort animée.

Ci-dessous : Cologne, bastide fondée au XIIIe siècle, s'organise autour d'une place centrale bordée de maisons à couverts en brique, en pierre ou à colombages. Au centre de la place s'élève une belle halle du XVe siècle, dont la toiture est sommée d'un clocheton.

Village pratique

Habitants : Les Lislois.
Informations touristiques :
Office de tourisme, Au Bord du Lac,
32600 L'Isle-Jourdain.
Tél. : 05 62 07 25 57.
Site internet :
www.mairie-islejourdain.com

Comment s'y rendre ?
• À 33 km à l'ouest de Toulouse par la N 124.
• Gares : Lisle-Jourdain, Auch.
• Aéroport : Toulouse-Blagnac.

Que rapporter ?
• Des foies gras et des confits.
• Des sculptures en bois de l'atelier
  Les Surjougs, à la ferme d'En Bladé.
• Des produits du terroir, au marché
  du samedi matin.

Autour du village

Larrau

Aux confins de la haute Soule, au pied du pic d'Orhi,
Larrau est bâti sur un plateau à 636 m d'altitude. Le petit village montagnard est typiquement basque
avec ses maisons souletines groupées autour de l'église et du fronton de pelote.

Vertigineux canyons

Outre les pèlerins, Larrau accueille de nombreux randonneurs venus admirer les gorges voisines d'Holzarte. Creusées dans le calcaire par l'eau des torrents, longues de 5 km, ces gorges atteignent par endroits une profondeur de 300 m. Elles sont franchissables par une passerelle mouvante, suspendue à 140 m au-dessus du sol. Emprunter cette passerelle constitue un véritable défi au vertige, et nombre de promeneurs rebroussent chemin.

La vie du village

Permanence du folklore
Chaque année en mars ou en avril, Larrau s'anime lors d'une mascarade, fête traditionnelle basque à mi-chemin entre le carnaval et le théâtre de rue. Quarante jeunes gens, tous originaires du même village, se donnent en spectacle, une partie d'entre eux chantant, dansant et interprétant en basque un texte qui met en scène des figures villageoises, tandis que l'autre gêne le déroulement de l'interprétation par des interventions intempestives. Effet comique assuré !

Ci-dessus : le gave de Larrau traverse le village. Cette petite rivière est appelée le Saison à partir de sa confluence avec l'Uhaïtza, à Licq-Athérey.

Combien de pèlerins se sont agenouillés dans l'église Saint-Jean-Baptiste de Larrau, rendant grâce à Dieu pour le bon voyage qu'ils venaient d'accomplir en terre de France et réclamant Sa protection pour celui qu'ils entreprendraient le lendemain en terre d'Espagne ? Des centaines de milliers sans doute, hommes et femmes engagés sur le chemin menant à Saint-Jacques-de-Compostelle, qui faisaient là leur dernière étape avant de franchir la frontière.

SUR LE CHEMIN DE COMPOSTELLE
Comment évoquer Larrau sans parler de ces pèlerins et de cette église ? Leur histoire commune débute au XIe siècle, à l'époque où s'instaure le pèlerinage vers Saint-Jacques-de-

Spécificité souletine

La maison souletine diffère de celle du Labourd ou de la basse Navarre. Blanchie au lait de chaux, elle est percée de fenêtres étroites et coiffée d'un toit très pentu couvert d'ardoises bleutées. Son plan intérieur, organisé autour de l'ezkaratze, marque toutefois son appartenance à l'aire culturelle basque. L'ezkaratze est une vaste pièce de travail, située derrière la porte d'entrée, qui commande l'accès aux deux parties de l'habitation, dont l'une est réservée aux hommes et l'autre aux animaux.

Compostelle. Partout en Europe, les moines créent des relais pour venir en aide aux pèlerins. En 1174, l'abbaye béarnaise de Sauvelade contribue à cette grande œuvre en fondant sur le site de Larrau un hôpital-prieuré, dont la construction marque la naissance du village actuel. De cette époque Larrau n'a conservé que l'église Saint-Jean-Baptiste, qui était alors la chapelle de l'hôpital. Elle-même ne possède plus que son abside d'origine, de style roman, miraculeusement épargnée par les guerres de Religion. Des pèlerins continuent à s'y recueillir aux pieds d'une Vierge à l'Enfant en bois polychrome et d'une croix de procession en bois doré, toutes deux sculptées au XVIe siècle et classées au titre des Monuments historiques depuis 1993. Aujourd'hui, cette église marque le cœur du village, où est venu la rejoindre un fronton, l'un de ces hauts murs contre lesquels on joue à la pelote basque.

Ci-dessus à gauche : l'église abrite une Vierge à l'Enfant datant du XVIe siècle.

À droite : placée sous le vocable de saint Martin, l'église a été classée au titre des Monuments historiques en 2003.

UN VILLAGE DE LA SOULE

Village montagnard, village-étape sur la route de Saint-Jacques, village frontalier à quelques encablures de l'Espagne, Larrau est aussi, et avant tout, un village de la Soule, la plus petite et la mieux préservée des sept provinces du Pays basque. En témoignent ses demeures typiquement souletines et son fronton de pelote, ainsi que ses quelque deux cent quatorze habitants, qui continuent à s'exprimer en euskara. C'est dans cette langue basque qu'ils ont d'ailleurs baptisé deux des quartiers de Larrau : *Ekhi Begia* (« l'œil du soleil ») et *Itzal Herria* (« le village ombragé »). Elle est également en usage dans le folklore traditionnel, qu'ils chantent, dansent et jouent les jours de mascarade ou de pastorale. Les toits couverts d'ardoises sur fond de décor pyrénéen confèrent certes à Larrau une apparente austérité, mais celle-ci s'atténue à l'intérieur des maisons, où nappe et vaisselle aux couleurs basques réchauffent l'atmosphère.

À LA DÉCOUVERTE DE LARRAU

Le village se compose de plusieurs quartiers disséminés dans la montagne. Le plus important, celui où se trouvent l'église, le fronton ainsi que la mairie, se nomme le Bourg. Les autres, dont Ekhi Begia et Itzal Herria, sont des quartiers d'habitation. Aux côtés des maisons souletines Larrau compte d'imposants chalets de montagne.

À cheval sur la frontière franco-espagnole, la forêt d'Iraty, qui couvre plus de 2 300 ha, est considérée, du fait qu'elle se prolonge de l'autre côté des Pyrénées, comme la plus grande hêtraie d'Europe. Elle offre une grande variété en termes de faune et de flore.

Village pratique

Habitants : Les Larraintarrak.
Informations touristiques :
Mairie, Le Bourg,
64560 Larrau. Tél. : 05 59 28 62 80
Office de tourisme de Soule,
10, rue J.-B.-Heugas, 64130 Mauléon.
Tél. : 05 59 28 02 37.
Site internet : http://www.valleedesoule.com/
E-mail : Office-tourisme.Soule@wanadoo.fr

Comment s'y rendre ?
• À 76 km au sud-ouest de Pau par la N 134,
  la D 919, la D 918 et la D 26.
• Gare : Pau.
• Aéroport : Pau.

Que rapporter ?
• Du fromage pur brebis AOC Ossau-Iraty.
• Du gâteau basque à la boulangerie du village.

Autour du village

Monestiès

Installé dans un méandre du Cérou, le village médiéval de Monestiès est l'un des joyaux du Tarn.
S'il a perdu ses remparts, il a conservé un beau patrimoine architectural, et la chapelle Saint-Jacques
abrite un exceptionnel ensemble de statues datant du XVe siècle.

La vie du village

À dos d'âne

Situé à Monestiès, Eveil ânes accueille toute l'année les amateurs de promenades à dos d'ânes ou en calèche, qui peuvent alors découvrir les hameaux voisins. Les renseignements sur ces randonnées s'obtiennent à l'office de tourisme.

Ci-dessus : la fontaine du Griffoul se trouvait primitivement sur la place principale du village. Elle fut déplacée en 1808, à la suite d'infiltrations dans le sol.

C'est en 936 que le village de Monesterio est mentionné pour la première fois. Il aurait, comme son nom l'indique, abrité un petit monastère construit sur l'ordre de Déodat, abbé de Saint-Salvy. L'ecclésiastique avait tous les droits sur cette terre qu'il avait reçue du roi Louis IV d'Outremer (918-954) quelques années plus tôt…

UN VILLAGE AUTHENTIQUE

Au Moyen Âge, Monestiès était une importante place forte et le siège de l'une des baronnies de l'évêque d'Albi. On accède au village, niché à l'intérieur d'une boucle du Cérou, en empruntant le pont de Candèze, pont en dos d'âne à trois arches, ou celui de Groc, qui menait à la porte du même nom, aujourd'hui disparue. Une fois passé les lices, ces larges promenades aménagées sur l'emplacement qu'occupaient jadis les remparts et les fossés, on découvre un enchevêtrement de venelles qui convergent vers l'église Saint-Pierre, chef-d'œuvre gothique méridional du XVIe siècle. Les quelque mille quatre cents habitants du bourg occupent des demeures médiévales à colombages, dotées pour la plupart d'un étage en encorbellement. Les habitants de Monestiès ont plaisir, les dimanches d'été ou à l'occasion du marché de produits du terroir et lors des manifestations

Le Tarn, terre d'accueil

En 1939, Francisco Bajén et son épouse Martine Véga fuient la guerre qui sévit en Espagne pour trouver refuge à Albi. C'est en France que les deux artistes commencent à produire, chacun de leur côté, des portraits et des paysages aux couleurs vibrantes qui connaissent vite un succès international. Le musée Bajén-Véga, installé place de la Mairie, abrite aujourd'hui un ensemble de 120 toiles.

qui animent le village, à se retrouver sur la grande place du Foirail, autour de l'ancienne fontaine du Griffoul. Non loin de là, on remarque la Directe, demeure flanquée d'une tour quadrangulaire qui était sous l'Ancien Régime la résidence du receveur chargé de percevoir les droits seigneuriaux.

UN DISCRET TRÉSOR

À la porte nord-est du village se dresse la chapelle qui fut autrefois l'hôpital Saint-Jacques, où l'on accueillait bien sûr les malades, mais également les pèlerins en chemin vers Saint-Jacques-de-Compostelle. L'édifice fut entièrement remanié lorsque, en 1761, il accueillit entre ses murs une relique de la vraie Croix. La façade dépouillée de ce bâtiment, coiffé d'un campanile, ne laisse en rien deviner le trésor abrité à l'intérieur : un ensemble composé de vingt statues polychromes en calcaire, grandeur nature. L'œuvre, saisissante et d'un style quasi unique en Europe, fait revivre les trois derniers épisodes de la Passion du Christ : la crucifixion, la Piétà et la mise au tombeau. Elle fut commandée en 1490 par

Ci-dessus en haut, à droite : le pont de Candèze fut bâti aux XIIe et XIIIe siècles et se situe sur le trajet de l'ancienne voie romaine reliant Rodez à Toulouse. Cet ouvrage comportant trois arches en arc brisé est équipé d'avant-becs.

Ci-dessus en haut, à gauche : l'église Saint-Pierre fut construite vers 1550 sur les vestiges d'un sanctuaire roman. Elle offre une architecture caractéristique du gothique méridional avec son chevet à cinq pans et sa nef dont les murs sont soutenus par de puissants contreforts. Le clocher, élancé, est flanqué d'une tourelle.

Ci-dessus en haut : le célèbre groupe sculpté représentant les trois dernières étapes de la Passion du Christ fut transporté en 1774 du château de Combefa à la chapelle Saint-Jacques.

Les secrets de la rivière

Baptisé « les secrets de la rivière », un parcours botanique composé de dix-huit panneaux permet de découvrir la nature verdoyante qui environne le village, ainsi que le cours de la rivière. Ce circuit longeant également des jardins potagers est de deux kilomètres de long.

l'évêque d'Albi, Louis d'Amboise, et compose sans conteste l'une des œuvres religieuses les plus étonnantes de cette période charnière où l'art gothique s'efface devant la Renaissance. À l'origine, les vingt statues ornaient la chapelle du château de Combefa. Elles furent transférées à Monestiès en 1774.

À LA DÉCOUVERTE DE MONESTIÈS

En arrivant à Monestiès depuis Albi par le pont de Groc, remontez la lice de l'Est jusqu'au parking du boulodrome où vous laisserez votre véhicule. Vous vous trouvez alors juste en face de la place du Foirail. Enfoncez-vous dans les ruelles jusqu'à l'église qui occupe le centre du bourg, puis continuez votre promenade en traversant les places de la Caze et de la Mairie pour rejoindre la lice de Candèze, qui vous mènera aux rives du Cérou.

Ci-dessous : la bastide de Cordes-sur-Ciel fut fondée en 1222 par Raymond VIII, comte de Toulouse. Foyer cathare, le bourg connut au Moyen Âge, après la croisade des albigeois, une période de prospérité dont témoignent aujourd'hui ses belles demeures dont les façades de grès comportent de nombreux éléments sculptés. Cet ensemble urbain admirablement préservé constitue l'un des hauts lieux du patrimoine européen et abrite aujourd'hui près d'une cinquantaine d'artisans d'art.

Village pratique

Habitants : Les Monestiesains.
Informations touristiques :
Office de tourisme, place de la Mairie,
81640 Monestiès.
Tél. : 05 63 76 19 17.
E-mail : monesties@wanadoo.fr
Site internet : www.tourisme-monesties.fr

Comment s'y rendre ?
• À 20 km au nord d'Albi
  par la N 88 puis la D 73.
• Gare : Carmaux.
• Aéroport : Toulouse-Blagnac.

Que rapporter ?
• Des produits du terroir en vente à l'office
  du tourisme.
• Des ouvrages sur le musée et le village.
• Des œuvres d'art, lors des expositions
  artistiques estivales.
• Des chocolats de la boulangerie.

Autour du village

Montesquiou

En plein pays gascon, le village de Montesquiou, berceau de la famille de Montesquiou d'Artagnan, domine la vallée de l'Osse. Doté d'une porte fortifiée et de remparts, l'ancien castelnau accueille toujours les pèlerins en route vers Compostelle.

La vie du village

La « Pouloio » à la Saint-Martin

En 1848, un groupe d'amis fonde à Montesquiou la Souciétat de la Pouloio, la Société de la dinde. À l'époque, cette société organisait essentiellement de grandes retrouvailles gastronomiques une fois par an. Aujourd'hui, en novembre, la fête de la Saint-Martin perpétue la tradition lors d'un grand repas qui met le volatile à l'honneur. La fête patronale célèbre en même temps la Flamme de l'Armagnac qui rappelle le début de la distillation dans la région.

Ci-dessus : le village a épousé les contours de son enceinte, de forme ronde. Les maisons bâties sur les fortifications ont pour assises les anciens remparts.

Un théâtre de verdure à l'ombre de vieux arbres et quelques tréteaux : voici le décor idyllique aménagé au pied du Castelnau (le vieux village seigneurial), sur les pentes de la Garenne qui descendent doucement vers l'Osse. En août, les lectures et les spectacles des Rencontres de la Garenne remplacent aujourd'hui les cris des maquignons d'une grande foire qui, pendant des siècles, rassembla ici des milliers de bestiaux.

UN VILLAGE EN DEUX PARTIES

Le carrefour de la Vierge marque l'entrée haute de Montesquiou où se trouve le Barry, le faubourg, avec ses demeures du XVIIIe siècle. Laissant à gauche la départementale qui passe au pied du village, la rue du Barry prolonge le chemin de Saint-Jacques et s'enfonce dans le bourg. Une statue en terre cuite de saint Roch au manteau orné de coquilles accueille

De discrets joyaux

Sur les coteaux calcaires autour du village poussent des orchidées sauvages aux noms évocateurs : ophrys bécasse, orchis militaire, orchis bouc… Le pâturage des pelouses sèches encore pratiqué dans cette région a favorisé cette diversité biologique en laissant les paysages ouverts. La richesse de cette zone a d'ailleurs été reconnue d'intérêt européen et fait partie d'un réseau de milieux écologiques remarquables appelé Natura 2000.

les pèlerins devant le Cap du Barry, une magnifique propriété marquant le sommet du village d'où le panorama est superbe sur les Pyrénées. La rue descend ensuite à pic, bordée de maisons aux murs de pierres apparentes ou de colombages, jusqu'à la place où commence le castelnau avec ses ruelles et ses fortifications. La terrasse du café de l'auberge voisine avec un vieux puits de pierre et avec le monument aux morts, tandis qu'une tour du château des barons de Montesquiou, puissante seigneurie de l'Armagnac, émerge encore des maisons. Tout droit, entre l'église et la mairie, une rue centrale conduit à la majestueuse tour-porte du XIIe siècle. Les pavés, les fleurs, les petites demeures adossées aux remparts et la maison d'hôtes restaurée avec goût confèrent à cet endroit un charme particulier.

L'ART DE VIVRE EN GASCOGNE

Depuis la porte médiévale, une promenade fleurie suit les fortifications et ramène vers la seule place de ce chef-lieu de canton de 586 habitants. Plusieurs fêtes se tiennent le long de cette allée de platanes : fête de la Saint-Martin en novembre, fête de la Saint-Jean en juin et soirée en avant-première du festival Jazz in Marciac au début du mois d'août. Durant l'année, l'association Les Dits de l'Osse met en place différentes manifestations touchant à la lecture et à l'écriture, comme les Rencontres de la Garenne en août, organisées autour d'un thème. Pour apprécier la douceur de vivre de ce petit village gascon, les soirs d'été après le coucher du soleil, on peut faire le tour des remparts depuis

Ci-dessus à gauche : le Cap du Barry est une belle demeure bourgeoise des XVIIe et XVIIIe siècles. Cette maison est entourée d'un grand parc, où s'élève un important ensemble communs.

À droite : on pénétrait autrefois dans la rue principale par deux portes, élevées aux deux extrémités du village. La seule qui subsiste est surmontée d'une large meurtrière. Elle était équipée d'une herse que l'on baissait à la nuit tombée.

193

Trésors d'église

De l'église du XIIe siècle il ne reste que la base du clocher dominant le village. À l'intérieur, les éclectiques aménagements du XIXe siècle dominent : colonnes en faux marbre séparant la nef des bas-côtés, plafonds à caissons, tribune, statues polychromes et maître-autel en bois doré surmonté d'un baldaquin dans le chœur gothique. Dehors, une étroite ruelle contourne l'édifice dévoilant quelques vestiges médiévaux.

la porte fortifiée en écoutant le chant des crapauds avant d'entamer une partie de pétanque ou de boire un petit armagnac à la terrasse du café. Enfin, il faut déguster les produits du terroir de la ferme de Bordeneuve à l'office de tourisme.

À LA DÉCOUVERTE DE MONTESQUIOU

Après avoir fait le tour du village jusqu'au petit cimetière, longé les murs ornés de pieds de vigne et goûté la bonne cuisine du terroir à l'auberge, découvrez les alentours : coteaux fleuris, forêts ou rivières ainsi que châteaux, fermes ou charmant lavoir qui attend sa restauration. Vous croiserez le chemin de Saint-Jacques qui traverse le village, depuis la halte aménagée en haut jusqu'aux bords de l'Osse ; des arbres fruitiers ont même été plantés en signe d'hospitalité. La maison d'hôtes, sur les remparts, accueille régulièrement les pèlerins en route vers Saint-Jacques.

Ci-dessous : Marciac, ancienne bastide fondée au XIIIe siècle, s'organise autour d'un espace central, la place à couverts, au milieu de laquelle s'élevait jusqu'au XIXe siècle une halle. Le village, qui possède une église du XIVe siècle, est renommé pour son festival de jazz, qui se tient chaque année durant la première semaine d'août.

Village pratique

194

Habitants : Les Montesquivais.
Informations touristiques :
Office de tourisme,
place du Village,
32320 Montesquiou.
Tél. mairie : 05 62 70 91 18.
Site internet : www.montesquiou.info

Comment s'y rendre ?
• À 110 km à l'ouest de Toulouse par la N 124, la N 21, la D 2 puis la D 943.
• Gares : Auch, Agen (TGV).
• Aéroport : Toulouse-Blagnac.

Que rapporter ?
• De délicieuses conserves de la ferme de Bordeneuve, qui vous accueille aussi pour un goûter gascon. Le samedi matin, bocaux et volailles préparées sont en vente à l'office de tourisme sur la place.

Autour du village

RABASTENS

Émergeant des vignobles du pays de cocagne, entre Quercy et Lauragais,
Rabastens domine le Tarn de ses remparts. Les hôtels particuliers du XVIIe au XIXe siècle racontent
le passé de ce bourg qui fut un lieu de villégiature pour les notables toulousains.

Les fresques de Notre-Dame-du-Bourg

Du milieu du XIIIe au début du XIVe siècle, des artistes peignent les murs de l'église de Rabastens. Ces peintures murales doivent une grande part de leur renommée à l'intensité de leurs coloris, rouge sang, bleu azur et jaune d'or. Le grand bandeau pourpre qui entoure le chœur chante la vie de la Vierge. Les fresques de la chapelle de Saint-Jacques-de-Compostelle au délicat bleu pastel, jamais restaurées, sont remarquables, notamment l'enterrement de saint Jacques.

196

Ci-dessus à gauche : les remparts de briques roses furent édifiés au Moyen Âge pour assurer la défense de la cité. Ils surent protéger celle-ci durant la guerre de Cent Ans, et Rabastens put s'enorgueillir de n'avoir jamais été pris par les Anglais.

À droite : l'habitat traditionnel utilise aussi la brique, ici combinée avec les pans de bois.

Le 21 juillet 1381, du haut des remparts, les Rabastinois assistent à un combat féroce sur l'autre rive du Tarn : la cavalerie du comte de Foix, Gaston Phébus, décime l'armée du duc de Berry. Deux mille cadavres sont alors jetés à l'eau ! Sous le choc, Constance de Rabastens a des visions et jette un anathème sur le roi Charles VI, qui soutient le pape d'Avignon : cette villageoise, mystique reconnue, finira dans les cachots de la sinistre Inquisition.

UN SITE STRATÉGIQUE

Le passage est étroit entre les collines et l'à-pic sur la rivière : entouré de fossés aujourd'hui métamorphosés en larges promenades bordées de platanes, Rabastens ne fut jamais pris durant la guerre de Cent Ans. Le blason de la petite cité évoque son passé chargé d'histoire : on peut y découvrir la croix des comtes de Toulouse et les trois fleurs de lis du royaume de France. Au Moyen Âge, les pèlerins en route vers Saint-Jacques-de-Compostelle traversent la rivière au gué de Rabastens, sillonné de ruelles étroites qui, aujourd'hui encore, ont gardé leur atmosphère médiévale. Aux XVIIe et XVIIIe siècles, les familles

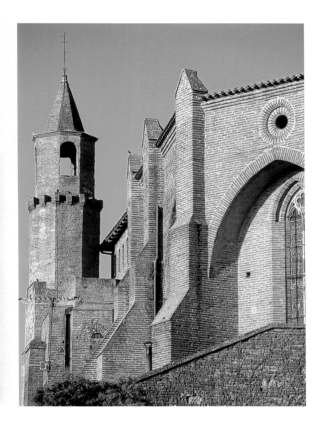

La vie du village

Tout pour la fête !

« Dès que tambour ou hautbois résonne, tout cadence dans les rues de Rabastens ! » disait-on en 1800. On retrouve cette gaieté au marché du samedi qui se déroule sur les larges boulevards bordés de platanes, au festival de la Magie et aux apéritifs-concerts de l'été, offerts par la mairie dans sa belle cour. Mais c'est surtout le corso fleuri illuminé du 15 août qui réserve des surprises : les chars sont couverts de milliers de fleurs en papier, confectionnées pendant l'hiver en grand secret par quelques passionnés.

nobles de la région font du bourg leur résidence d'été. On l'appelle alors le « faubourg Saint-Germain de l'Albigeois ». Il en reste de somptueuses demeures dont les jardins en terrasses surplombent la rivière.

UN VIGNOBLE MILLÉNAIRE

Remparts du XIVᵉ siècle, maisons à colombages et façades de brique, pittoresques lavoirs, ancien prieuré doté d'un donjon du XVIᵉ siècle dominant la cour de la mairie : Rabastens accumule les surprises autour de son église Notre-Dame-du-Bourg et du musée du Pays rabastinois. La vaste église au clocher fortifié qui s'ouvre par un portail roman est réputée pour ses peintures murales dont les plus anciennes ont été réalisées au XIIIᵉ siècle. La nef s'achève par un chœur lumineux dont la voûte est décorée de svastikas, mystérieux symboles solaires. Près de l'église, le musée du Pays rabastinois abrite notamment une rare collection de poteries de Giroussens (XVIᵉ-XVIIIᵉ s.) et de précieuses broderies créées par René Bégué, dit Rébé, fameux brodeur parisien du milieu du XXᵉ siècle qui travailla beaucoup pour Dior. Autre patrimoine, naturel cette fois, le vignoble de Gaillac entoure

Ci-dessus à gauche : l'église Notre-Dame-du-Bourg est l'un des chefs-d'œuvre du style gothique méridional. Elle est renommée pour les chapiteaux romans de son portail et pour ses peintures murales. À proximité, l'ancien prieuré bénédictin, aujourd'hui transformé en mairie, est dominé par la haute silhouette de la tour du Chapitre (début du XVIᵉ s.).

À droite : Rabastens vit se construire de nombreux hôtels particuliers entre les XVIᵉ et XVIIIᵉ siècles. La brique offre ses chaudes teintes aux façades, rehaussées de discrets ornements qui leur confèrent une grande élégance.

197

Un décor pour les peintres

Rabastens a toujours attiré les artistes. Dans les années 1920, le Toulousain George Gaudion (1885-1942), écrivain, compositeur de jazz et peintre Art déco, actuellement très prisé aux États-Unis, vint souvent peindre à Rabastens. Il épousa l'artiste rabastinoise Luce Boyals, élève du célèbre Antoine Bourdelle et excellente portraitiste. Le couple a laissé une œuvre remarquable, que l'on peut en partie admirer au musée de Rabastens.

le village. Dans le pays, l'expression « être entre Gaillac et Rabastens » signifie « être entre deux vins ». Nostradamus citait déjà « la ville où l'eau et le vin abondent ». La cave coopérative maintient la tradition, tout comme les domaines entourant le village.

À LA DÉCOUVERTE DE DE RABASTENS

Il faut parcourir à pied le vieux quartier médiéval où s'élèvent les maisons anciennes. Après une visite de l'église, gagnez le musée, situé dans un bel hôtel du XVIIe siècle. Allez ensuite admirer la cour de la mairie, puis rejoignez le pont pour contempler le panorama du bourg surplombant le Tarn. Longez le balcon des remparts et descendez par l'ancienne poterne. Au soleil couchant, les briques de Rabastens s'enflamment aux couleurs du vin nouveau !

Ci-dessous : le vignoble de Gaillac, exploité depuis l'Antiquité, produit des vins d'appellation contrôlée blancs et rouges. L'aire d'appellation s'étend sur quelque 2 500 ha répartis sur soixante-treize communes.

Village pratique

Habitants : Les Rabastinois.
Informations touristiques :
Office de tourisme,
12, rue du Pont-del-Pâ,
81800 Rabastens.
Tél. : 05 63 33 56 90.

Comment s'y rendre ?
• À 40 km au nord-est de Toulouse
  par la N 88, puis la N 2088.
• Gares : Rabastens et Toulouse.
• Aéroport : Toulouse-Blagnac.

Que rapporter ?
• Du gaillac blanc perlé.
• Du gaillac doux.
• Des navettes (biscuits secs en forme de
  navette, vieille tradition albigeoise).
• Des croquants, appelés au Moyen Âge
  « plaisirs », petits gâteaux aux amandes.

Autour du village

198

Sainte-Engrâce

En haute Soule, à la limite du Béarn, Sainte-Engrâce s'étend au sein d'un cirque montagneux, grandiose et sauvage. Ce bourg du bout du monde est une halte paisible pour les randonneurs qui vont découvrir les gorges de Kakuetta et d'Ehujarré.

Des images de pierre

Une vingtaine de chapiteaux romans font la renommée de l'église avec des scènes de la Bible magnifiquement illustrées, un bestiaire fantastique et des motifs végétaux. La Création, Adam et Ève, ou encore les amours du roi Salomon et de la reine de Saba côtoient lions, chevaux, centaures ou figures monstrueuses, dont un éléphant à la trompe en forme de langue. Le porche, protégé par un auvent, garde un chrisme (monogramme du Christ) porté par deux anges et couronné d'une voussure décorée d'oiseaux.

200

Ci-dessus : l'église de Sainte-Engrâce servit de modèle à beaucoup d'autres sanctuaires de la Soule. Terminée par une abside accostée d'absidioles en cul-de-four, elle possède un curieux clocher décentré.

Autour de l'an mil, des voleurs de reliques s'emparèrent à Saragosse, en Espagne, du bras de Santa Gracia, une martyre des premiers temps chrétiens. Ils le cachèrent au creux d'un arbre dans les montagnes de la Soule, la plus petite des trois provinces basques françaises. Cette relique, découverte miraculeusement au XIIe siècle grâce à un taureau qui s'inclinait devant l'arbre, fut à l'origine de la création d'une chapelle sur le site.

UN PÈLERINAGE RENOMMÉ

Très vite, le culte de la sainte attira de nombreux pèlerins en route pour Compostelle, et le sanctuaire devint un haut lieu de pèlerinage. On venait de loin invoquer la jeune martyre contre les intempéries, la sécheresse ou même les maux de tête. Si l'on en croit des écrits du XIIe siècle destinés aux pèlerins, les lieux faisaient déjà une forte impression aux visiteurs. Il est vrai que la chapelle était entourée de gorges calcaires aux reliefs abrupts et de montagnes boisées qui se prêtaient bien aux légendes. Devant un tel succès, le

La vie du village

D'anciennes traditions théâtrales rurales
En Soule, des troupes de théâtre plantent chaque année leur décor
dans un village différent. L'hiver, c'est la Mascarade : des danseurs
défilent dans les rues, partagés entre les bons, en rouge, et les mauvais,
en noir, puis donnent une représentation. L'été, la Pastorale raconte la
vie d'un personnage ou d'un événement du pays en langue souletine à
travers trois mondes : satanique, divin et humain.

Ci-dessus à gauche : la
maison traditionnelle
de la Soule est
généralement de plan
rectangulaire. Coiffée
d'un toit d'ardoise en
forte pente, qui permet la
circulation rapide de
l'eau, l'habitation est
éclairée par des
ouvertures étroites.

Ci-dessus à droite : le
tympan du portail
d'entrée de l'église
représente l'allégorie
triomphale de La Trinité.
Au centre figure un
chrisme, symbole à six
branches en forme de
roue solaire qui est
l'emblème du Sauveur.

Ci-dessus au centre : la
clôture du chœur de
l'église est constituée par
une grille en fer forgé
composée de barreaux
terminés en forme de fer
de lance. Comme les
autels, cette œuvre est
probablement d'origine
espagnole et est datée du
XIVe siècle.

village nommé Urdaitx prit au XVe siècle le nom de Sainte-Engrâce. Aujourd'hui, au
cœur de ce paysage particulièrement préservé, le sanctuaire roman trône toujours sur sa
petite butte au milieu de son cimetière basque, veillant sur un peu plus de trois cents
Engrâciens. Restaurée et classée grâce à Prosper Mérimée vers 1850, l'église arbore une
curieuse façade asymétrique. À l'intérieur, ses trois nefs voûtées reposent sur de magnifiques
chapiteaux, dont plusieurs sont historiés.

UN VILLAGE DISPERSÉ

À Sainte-Engrâce, les maisons blanches aux volets rouges s'étagent sur le relief contrasté,
organisées en plusieurs quartiers dispersés parmi les verts pâturages bordés de murets ou
de barrières. La mairie possède son fronton, qui voisine avec le petit bar Haritchabalet
(unique épicerie du village). Mais, pour la fête votive, qui se déroule en général le week-
end de la Pentecôte, il faut se rendre au fronton du quartier de l'église. Là, les parties de

Quand l'eau creuse la montagne

Deux séries de gorges vous attendent au sortir du village. Celles de Kakuetta, étroite faille dans la montagne, offrent un parcours aménagé de 2 km au cœur d'une végétation dense (accès payant). Ce parcours mène à une cascade qui chute d'une vingtaine de mètres et à une grotte ornée de magnifiques concrétions. Plus ouvertes, les gorges d'Éhujarré sont accessibles aux bons marcheurs depuis l'église du village en une journée. Elles offrent de beaux points de vue sur Sainte-Engrâce.

Ci-dessous : la forêt d'Iraty est l'un des plus vastes massifs de feuillus d'Europe occidentale. Très tôt peuplée, comme en témoigne la nécropole préhistorique découverte près du pic d'Occabe, elle est dans la mythologie basque le lieu de résidence du seigneur de la forêt, Basajaun, et des génies mi-anges, mi-hommes, les laminak.

pelote et les kantaldi, chants et danses souletins, précèdent le repas dansant du samedi. Jusqu'en 1987, la nationale s'arrêtait à Sainte-Engrâce. Même si ce n'est plus le cas, le bourg a gardé ses allures de bout du monde, à l'image de la haute Soule qui, en basque, signifie extrémité sauvage, Basabürüa. Sur les hauteurs, les prairies d'altitude sont ponctuées de cabanes d'estives, les cayolars, que bergers et brebis rejoignent lors de la transhumance. Les fromages fabriqués à partir du lait de montagne se retrouveront à la foire aux fromages de Tardets, à une vingtaine de kilomètres au nord du bourg, le troisième week-end d'août.

À LA DÉCOUVERTE DE SAINTE-ENGRÂCE

Après avoir observé les belles maisons du village avec leurs toits d'ardoises pentus et leurs linteaux de pierre, rendez-vous à l'église. Prenez le temps de découvrir les stèles discoïdales du cimetière, et laissez votre regard s'égarer vers les bois et les montagnes avant de partir explorer la nature environnante.

Village pratique

Habitants : Les Engrâciens.
Informations touristiques :
Office de tourisme de Soule,
place Centrale, 64470 Tardets.
Tél. : 05 59 28 51 28.
Fax : 05 59 28 52 46.

Comment s'y rendre ?
• À 30 km au sud-ouest de Mauléon-
  Licharre par la D 918. Après
  Tardets-Sorholus suivre la D 26,
  puis la D 113.
• Gare : Pau (TGV).
• Aéroport : Pau ou Biarritz.

Que rapporter ?
• Des fromages et des produits du terroir à
  l'épicerie Haritchabalet à côté du fronton
  du quartier de la mairie.

Autour du village

St-Guilhem-le-Désert

LODEVE
MONTPELLIER •
BEZIERS

HÉRAULT – RÉGION LANGUEDOC-ROUSSILLON

SAINT-GUILHEM-LE-DÉSERT

Perdu dans les gorges sauvages du Verdus, Saint-Guilhem étire ses maisons ouvragées
de part et d'autre d'une abbaye qui semble se fondre dans la roche calcaire.
L'austérité du site ajoute encore à la beauté de ce village languedocien.

La vie du village

Une saison musicale
Chaque année, dans la première quinzaine de juillet, l'abbaye de Saint-Guilhem connaît de grands moments culturels avec un festival de conte et des concerts de musique baroque organisés autour de son orgue, magnifique témoin de la facture française classique. De même, tout l'été, « une heure avec l'orgue de l'Abbaye de Gellone » est proposée. Ces manifestations musicales permettent de saisir la dimension spirituelle du lieu.

Ci-dessus : les toits de tuiles des maisons se confondent avec ceux de l'abbaye : orné d'une frise et d'une suite d'arcades séparées de fines colonnes, son chevet est un splendide témoin de l'art du XIᵉ siècle. Au fil des ruelles fleuries surgissent linteaux gothiques, fenêtres romanes ou de la Renaissance. À partir du XIIᵉ siècle, le village connut une longue période de prospérité autour de son abbaye.

En 804, l'environnement montagneux des gorges du Verdus séduit Guilhem, un vaillant lieutenant de Charlemagne. Cet ancien guerrier devenu moine construit alors dans ce « désert de Gellone » le monastère de ses rêves, tout entier voué à la prière et à la réflexion spirituelle. Pour le remercier de ses faits d'armes, l'Empereur lui offre un morceau de la vraie Croix ; son monastère en sera l'écrin.

SUR LE CHEMIN DE SAINT-JACQUES-DE-COMPOSTELLE

A la mort de Guilhem, le monastère devient un important lieu de pèlerinage. Les fidèles viennent s'incliner sur la Croix et sur la dépouille du saint fondateur puis reprennent force avant de continuer la route pleine d'embûches vers Saint-Jacques-de-Compostelle. Le périple vers celle qui s'appelle encore Gellone est rude. Il faut attendre le XVIIIᵉ siècle pour que soient construites les « Fenestrettes », des passages maçonnés contre la roche ! Au XIIᵉ siècle, le village, devenu un haut lieu de la Chrétienté, prend le

Un nom bien étrange…

Au fait, comment s'appellent les habitants de Saint-Guilhem ?
« Saint-Guilhemais », « Saint-Guilhemois » ? Eh bien non, pas du
tout, et un coup d'œil au paysage suffit pour comprendre leur
curieux nom ! Ici ce sont les Sautarocs, les « saute-rochers », qui se
rassemblent, quand les touristes sont partis, sous le gros platane de
la place de la Liberté pour jouer aux boules ou discuter tout
simplement !

205

nom de Saint-Guilhem. Cette période de prospérité permet à la cité de se développer
autour de son abbaye, aux moulins de s'édifier, aux fortifications de se construire et surtout
aux maisons d'agrémenter leurs portes et fenêtres de ravissantes sculptures. Aujourd'hui,
l'abbaye en est le cœur. Même si elle a été largement démantelée durant la Révolution,
elle a conservé une partie de son cloître et abrite un musée dans l'ancien réfectoire des
moines : des sculptures s'étendant de l'époque gallo-romaine à l'âge gothique y sont
exposées.

LA MAGIE D'UN VILLAGE

Les rues sinueuses du village ramènent toujours le promeneur égaré sur la place de la
Liberté, devant le portail de l'église abbatiale, bordée d'arcades. Entre deux ruelles ou
au détour d'un escalier, entre deux toits de tuiles patinées par le soleil, on aperçoit
fréquemment les hautes parois calcaires des falaises toutes proches. Les maisons aux

Ci-dessus à gauche : un
sentier qui part du cœur
du village conduit à un
château en ruines offrant
un vaste panorama sur
Saint-Guilhem et les
gorges du Verdus.

À droite : le village suit
les méandres du Verdus
au cœur d'un univers de
rocailles et d'une
végétation de maquis.

L'abbaye de Gellone

Il ne reste plus grand chose de l'abbaye originelle, typique du premier art roman à différents stades de son évolution. Jadis à deux étages, le cloître a été amputé d'une bonne partie (les colonnes et les sculptures), achetée en 1906 par le collectionneur Georges Grey Barnard et qui figure désormais au musée des cloîtres de New-York ! À Saint-Guilhem, seules les galeries nord et ouest inférieures subsistent. Dans l'église, d'une grande sobriété, sont exposés la châsse de saint Guilhem contenant ses ossements et le fameux morceau de la sainte Croix.

fenêtres géminées, aux linteaux gothiques ou aux meneaux Renaissance, témoignages d'une époque raffinée, s'imbriquent les unes aux autres au cœur d'un paysage où la nature apparaît toujours aussi indomptable. Le village semble s'être « coulé » dans les gorges du Verdus, épousant ses reliefs accidentés : c'est là que réside tout le charme de Saint-Guilhem.

À LA DÉCOUVERTE DE SAINT-GUILHEM

Laissez votre voiture sur l'un des parkings payants à l'entrée du village puis grimpez à l'assaut des vielles ruelles. Tentez de vous y perdre…Vous reviendrez de toute façon à l'abbaye. Après l'avoir visitée, attardez-vous dans le musée lapidaire. Si vous avez un peu de temps, marchez jusqu'aux ruines du château qui domine le bourg : la vue y est splendide.

Village pratique

Habitants : Les Sautarocs.
Informations touristiques :
Office de tourisme
2 rue de la Font-du-Portal,
34150 Saint-Guilhem-le-Désert.
Tél : 04 67 57 44 33.

Comment s'y rendre ?
• A 40 km au NO de Montpellier
  par la N 102. Puis, D 27 et D 4.

Que rapporter ?
• Des santons.
• Des poteries.
• Des vêtements en laine.
• Des céramiques.

Que voir dans les environs ?
• Le pont du Diable.
• La grotte de Clamouse.
• Aniane.
• Saint Jean de Fos.
• Montpeyroux.

Autour du village

Ariège – Région Midi-Pyrénées

Saint-Lizier

Belvédère situé sur les montagnes du Couserans, l'oppidum gallo-romain
de Saint-Lizier devient au Moyen Âge une évêché de premier plan, étape sur la route de Compostelle.
Son patrimoine culturel est aujourd'hui intact.

Ci-contre : le palais des Évêques est une imposante construction du XVIIᵉ siècle. Sa longue façade aux élévations strictement ordonnées est régulièrement ponctuée de tours.

Ci-dessus : la coquille et le bourdon des pèlerins qui ornent la façade de cette maison du XVIIᵉ siècle rappellent que Saint-Lizier était une étape sur la route de Compostelle.

L'histoire assure que c'est Pompée en personne qui fonda une cité gallo-romaine sur un site occupé de longue date par les Celtes. Vigie au pied des Pyrénées sur le cours du Salat, Saint-Lizier est ceint de murailles au Vᵉ siècle. Dans la ville haute, une partie d'entre elles sont toujours bien visibles, de même que ses douze tours de gué.

DEUX CATHÉDRALES !

Élevé au rang d'évêché au Vᵉ siècle, Saint-Lizier connaît au XIᵉ siècle un nouvel élan religieux qui se concrétise par l'édification de deux cathédrales ! à l'intérieur de l'enceinte gallo-romaine, Notre-Dame-de-la-Sède était l'église attitrée du palais épiscopal. Elle est fermée pour restauration depuis plusieurs années. La cathédrale Saint-Lizier (XIᵉ-XVᵉ siècle) vaut à elle seule la visite pour ses fresques du XIIᵉ siècle, son trésor, qui compte un fameux buste-reliquaire en argent doré de saint Lizier, et un vitrail du XVᵉ siècle. On pense que ses premiers bâtisseurs réemployèrent les pierres de la cité gallo-romaine pour édifier le sanctuaire. Son clocher octogonal, caractéristique du style toulousain, remonte au XIVᵉ siècle. D'une grande sobriété et de proportions parfaites, le cloître roman adjacent – le seul en terre ariégeoise – invite à la méditation.

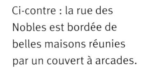

Ci-contre : la rue des Nobles est bordée de belles maisons réunies par un couvert à arcades.

La vie du village

Musique à Saint-Lizier

Si les Journées gallo-romaines attirent un public friand de reconstitutions historiques, le festival de Musique de chambre de Saint-Lizier est, tous les ans au mois d'août, le rendez-vous des mélomanes les plus exigeants. Depuis trente ans, des grands noms comme Martha Argerich, François-René Duchable, Jessye Norman ou James Bowman, mais aussi beaucoup de jeunes talents se sont produits dans le délicieux cadre médiéval du village.

TRÉSORS CACHÉS

Vu de loin, Saint-Lizier apparaît comme un village serti de jardins en terrasses. De l'intérieur, il justifie son classement au palmarès des plus beaux villages de France. Le patrimoine civil et religieux, la topographie urbaine, les vieilles maisons à couverts sont merveilleusement mis en scène par la lumière crue des Pyrénées. L'ancienne capitale du Couserans renferme aussi quelques trésors, à l'abri derrière de magnifiques vitrines : la pharmacie de l'Hôtel-Dieu, qui se visite sur rendez-vous, présente ainsi une collection de récipients médicinaux de toute beauté et d'ouvrages de pharmacopée rares. Certains pots en faïence portent de curieuses inscriptions : « vinaigre des quatre voleurs », « huile de chien », « huile de vers »…

209

À LA DÉCOUVERTE DE SAINT-LIZIER

Il est possible de stationner sous les murailles à mi-hauteur entre la ville haute et la ville basse, mais le parking principal se situe dans la ville basse et permet d'entamer la visite par le vieux pont enjambant le Salat. Par la place des Étendes, on longe l'Hôtel-Dieu, qui est

Feux et fêtes

Chaque 23 juin, un superbe feu traditionnel vient éclairer la nuit de la Saint-Jean. Au soir du 15 août, l'orgue de la cathédrale (XVIIᵉ s.) est à l'honneur lors d'un récital. Enfin, le troisième dimanche d'août, pour la fête votive, un feu d'artifice tiré du palais des Évêques illumine le ciel.

Ci-dessous : le clocher à pans coupés de la cathédrale est une pure merveille d'architecture de style toulousain. Éclairé par des fenêtres à fines colonnettes, il est couronné d'une terrasse crénelée.

toujours un gîte-étape sur le chemin de Saint-Jacques-de-Compostelle et abrite la magnifique pharmacie du XVIIIᵉ siècle. On remarquera les façades arborant la coquille, symbole des pèlerins. Place de l'Église, visitez la cathédrale et le cloître, puis pénétrez dans la ville haute par la tour de l'Horloge. Rue Notre-Dame, rue des Nobles, rue Maubec et au hasard des ruelles vous découvrez de belles maisons à colombages, datant pour les plus anciennes du XVᵉ siècle et plusieurs maisons canoniales du XVIIIᵉ siècle. Masse imposante, le palais épiscopal domine la ville haute. De sa terrasse, la vue est splendide sur la chaîne pyrénéenne.

Village pratique

Habitants : Les Licérois ou les Saint-Lizerans.
Informations touristiques :
Place de l'Église, 09190 Saint-Lizier.
Tél. : 05 61 96 77 77.
Site internet : www.ariege.com

Comment s'y rendre ?
• Aéroport de Toulouse-Blagnac.
• D 117 depuis Foix.
• Gare de Boussens,
  correspondance par car.

Que rapporter ?
• Des sabots de Bethmale.
• Du carrelage d'Antichan.
• Des fromages du Rogallais, Moulis.
• Les Pyrénoust, santons ariégeois.
• À « L'Œil aux aguets », rue Neuve, découvrir la
  passion de l'ichnologie, la science des traces.
  Empreintes d'animaux moulées.

Que voir dans les environs ?
• La grotte du Loup à Saint-Lizier.
• Le château de Prat
  (XVIᵉ s., restauré au XIXᵉ s.).
• Le village d'Audressein.
• La vallée de Bethmale.
• Le cirque de Cagateille.
• La bastide de Montjoie.
• L'église Saint-Pierre de Montgauch.

Autour du village

Sarrance

Au cœur de la vallée d'Aspe, le long du gave, Sarrance se blottit autour de son cloître et de son église. Ancien lieu de pèlerinage sur la route de Compostelle, le village, enchâssé dans un magnifique cadre de montagnes, a conservé toute sa sérénité.

Un but de pèlerinage

L'église Notre-Dame de Sarrance est flanquée d'un clocher octogonal coiffé d'un dôme qui abrite six cloches dont l'une porte une inscription latine signifiant « Repousse plus loin l'ennemi ». À l'intérieur de l'église, l'abside abrite la fameuse statue de Notre-Dame de Sarrance datant du XIIᵉ siècle et des bas-reliefs en bois polychrome du XVIIᵉ siècle racontant la légende du berger et du pêcheur. Divers aspects du pèlerinage sont également évoqués dans d'autres éléments du mobilier.

L a légende raconte que c'est un taureau qui aurait découvert la statue ornant l'église de Sarrance. Immobile au bord du gave, il attire l'attention de son berger. Celui-ci hèle un pêcheur qui taquine la truite. Tous deux accourent, s'approchent de l'animal, scrutent les eaux claires et… découvrent une statue de la Vierge Marie sculptée dans une pierre.

Ci-dessus : le clocher-porche de l'église Notre-Dame présente huit faces curvilignes. Les registres inférieurs sont occupés par des niches dans lesquelles s'inscrivent des statues.

DES HÔTES PRESTIGIEUX

Cette histoire fut mise en vers par le poète béarnais Francis Jammes. Si l'on en croit certains historiens, Sarrance serait le lieu de culte marial le plus ancien des Pyrénées. Le pèlerinage est en tout cas mentionné dans le testament de Gaston II, comte de Foix, qui date de 1343. Son emplacement, sur l'un des plus anciens passages des Pyrénées, en fit un lieu très fréquenté, d'autant que le chemin menait aussi à Saint-Jacques-de-Compostelle. Dès 1345, des moines prémontrés s'installèrent à Sarrance, peuplé de bergers et de paysans. En 1385, une rencontre historique, réunissant Gaston Phoebus et les rois de Navarre et d'Aragon, se tint dans la petite cité. En 1461, Louis XI vint y prier et, sous la Renaissance, Marguerite, reine de Navarre, y campa les récits de son Heptaméron. Incendié et pillé par les protestants pendant les guerres de Religion, le monastère de

La vie du village

Quand la vallée d'Aspe nous est contée…
L'un des sites de l'écomusée de la vallée d'Aspe, qui
évoque l'histoire du village et de la vallée au siècle
dernier, est situé à Sarrance. À travers une reconstitution
agrémentée de cantiques, il fait revivre les pèlerinages
des années 1930. Un spectacle audiovisuel mettant
en scène la légende de Sarrance et des documents sur
l'importance de l'eau et de la pierre dans la vallée
complètent l'exposition, qui s'achève sur un ensemble
de reliquaires polychromes.

Ci-dessus : l'un des
retables de l'église est
orné de bas-reliefs
illustrant la légende
relative à la fondation
du sanctuaire.

Ci-contre à gauche : la
fontaine qui se trouve sur
la place principale fut
construite au XIXᵉ siècle.
Elle est constituée d'un
bassin circulaire au
centre duquel s'élève un
pied supportant une
vasque d'où s'écoule
l'eau. Dans la pierre est
gravée une inscription en
béarnais, datée de 1828,
rendant hommage au
comte de Chambord.

À droite : le lavoir (XIXᵉ s.)
est équipé de grandes
plaques de schiste
rectangulaires
comportant des encoches
pour poser le linge.

213

Sarrance fut reconstruit au début du XVIIᵉ siècle. L'église et le cloître, qui forment le
cœur du village, datent de cette époque et témoignent du style baroque dans le Béarn.

MAISONS ANCIENNES

Les vieilles maisons béarnaises qui composent Sarrance remontent en majeure partie
aux XVIIᵉ et XVIIIᵉ siècles. Leurs murs de galets font écho aux toits d'ardoise d'un gris
presque bleuté. Serrées les unes contre les autres, elles sont serties dans un écrin verdoyant
dominé par de hautes montagnes aux sommets tantôt bleus, tantôt gris. Ce paysage
somptueux réjouit les amoureux de la nature qui trouvent ici maintes activités à pratiquer.
Des chemins balisés, souvent établis sur d'anciens sentiers de montagne qui permettaient

Un cloître du XVIIᵉ siècle

Inscrit à l'Inventaire des Monuments historiques, le cloître du monastère, qui se compose de galeries à colonnes superposées, est un exemple unique d'architecture du XVIIᵉ siècle dans le Béarn. Chaque arceau est surmonté d'un petit toit pointu qui lui confère élégance et légèreté. Lors de la restauration d'une galerie ouverte, un ensemble en brique datant de la construction précédente a été mis au jour.

aux habitants et aux troupeaux de circuler d'un hameau à l'autre, invitent à de belles randonnées au cours desquelles faune et flore montrent leur diversité colorée. Quant aux amateurs de pêche, les torrents et les lacs de montagne alentour leur donnent l'occasion d'appâter une truite fario ou un omble chevalier. Le canyoning et les autres sports d'eaux vives pratiqués en vallée d'Aspe procurent aussi d'inoubliables souvenirs. En hiver, les stations de ski alpin ou de ski de fond ne sont pas loin.

À LA DÉCOUVERTE DE SARRANCE

Gagnez le centre de Sarrance en remontant la rue du Haut. Vous visiterez l'église et le cloître, puis vous ferez un tour au passionnant écomusée de la vallée d'Aspe. En sortant du village par la rue du Bas, vous rejoindrez le gave et pourrez vous rendre à la source du Taureau, dont l'emplacement est indiqué. N'omettez pas de faire une halte gourmande à l'Auberge de Sarrance.

Ci-dessous : Lescun, discret village niché dans un petit cirque de la vallée d'Aspe, est le point de départ de nombreuses randonnées, notamment vers le pic d'Anie, les aiguilles d'Ansabère et la table des Trois Rois. Le village abrite de nombreuses maisons anciennes, ainsi que l'église Sainte-Eulalie (XVIᵉ-XVIIᵉ s.), flanquée d'un clocher carré à contreforts.

Village pratique

Habitants : Les Sarrançais.
Informations touristiques :
Office de tourisme de la vallée d'Aspe,
place Sarraillé, 64490 Bedous.
Tél. : 05 59 34 57 57.
Site internet : www.aspecanfranc.com

Comment s'y rendre ?
• À 50 km au sud-ouest de Pau par la N 134.
• Gare : Pau.
• Aéroport : Pau-Pyrénées.

Que rapporter ?
• Des conserves et des confits.
• Des fromages de brebis de la vallée d'Aspe.
• Du miel.

Autour du village

Pyrénées-Orientales – Région Languedoc-Roussillon

Villefranche-de-Conflent

Au pied du Canigou, la montagne sacrée des Catalans, des remparts presque millénaires protègent
Villefranche, la petite capitale du pays de Conflent. Cette place forte ballottée par les aléas
de l'histoire est aussi un village médiéval admirablement conservé.

216

Ci-dessus à gauche :
la montagne compose
un décor grandiose
autour de Villefranche,
ancienne capitale
du Conflent, située à
440 m d'altitude.

À droite : on ne se lasse
pas de déambuler dans
les rues étroites où les
enseignes en fer forgé
signalent échoppes et
boutiques. Le village a su
se mettre au goût du jour
tout en respectant son
histoire.

Quand, quelques années après la signature du traité des Pyrénées, Vauban découvre les hauts murs fortifiés de Villefranche-de-Conflent, il décide de renforcer cette citadelle pour la rendre imprenable. Elle est aujourd'hui l'une des mieux conservées de France.

UN INCROYABLE RÉSEAU DE FORTIFICATIONS

Bien avant Vauban, les comtes de Cerdagne avaient saisi l'intérêt stratégique du lieu, au confluent du Cady et de la Têt. Fondé en 1090 par Guillaume Raymond, comte de Cerdagne, Villefranche-de-Conflent, passera successivement aux mains des comtes de Barcelone (1117), à la France (1463), au royaume de Castille (1493) et de nouveau à la France (1659). De ce passé tumultueux le bourg conserve un impressionnant système défensif, constamment entretenu et amélioré depuis le XIᵉ siècle jusqu'aux derniers aménagements datant du Second Empire. De l'enceinte originelle subsiste le curieux chemin de ronde voûté situé à l'intérieur même de la muraille. C'est à Vauban que l'on

La fête des Géants

Le dimanche de Pâques a lieu la Trobada Gegantera, la fête des Géants. Les effigies de Guillem Ramon, comte de Cerdagne, et de son épouse Sancia de Barcelone, qui fondèrent Villefranche en 1090, reçoivent ce jour-là des Geganters venus de toute la Catalogne. Partant de l'église Saint-Jacques, les géants paradent une première fois le matin, puis de nouveau l'après-midi. Au son de la cobla, l'orchestre catalan avec ses joueurs de gralles, flûtes et tambourins, ils dansent jusqu'à s'effondrer.

La vie du village

Des grottes magnifiques

On peut visiter plusieurs grottes à la périphérie de Villefranche. Si la Cova Bastera, la plus proche, est un peu décevante, les Canalettes, succession de salles remontant à 40 millions d'années, sont impressionnantes. L'immense salle des Grandes Canelettes est spectaculaire avec ses concrétions exceptionnelles, son glacier suspendu et ses gouffres sans fond. L'ensemble est l'objet d'un très beau son et lumière.

doit l'édification, dix ans après la signature du traité des Pyrénées, des six bastions de la forteresse. Villefranche étant situé au fond d'une vallée, le fort Libéria, perché sur la colline de Belloch, sert alors de sentinelle. On y accède par un escalier souterrain, dit des « mille marches », construit au XIXe siècle.

Ci-dessus à gauche : afin d'assurer la protection des lieux, la cité ne comportait qu'une seule porte d'entrée, qui reste aujourd'hui le seul accès à Villefranche.

SUR LE CHEMIN DE COMPOSTELLE

Tant de protection ont permis de conserver intacts le village et ses maisons médiévales aux façades en marbre rose de la région. Presque toutes sont construites sur le même modèle : boutique ou écurie au rez-de-chaussée, locaux professionnels au premier étage et pièces d'habitation au deuxième étage, doté par ailleurs d'une loggia. Les échoppes d'artisans se distinguent par des enseignes en fer forgé. Le promeneur s'étonnera de la présence de chardons accrochés aux portes : se refermant à l'approche du mauvais temps, ils font office de baromètre. Située sur la route de Compostelle, l'église Saint-Jacques, aussi

ancienne que les remparts, possède un splendide portail roman en marbre rose. Incrustées dans le pavement intérieur, des pierres tombales sont ornées de têtes de mort souriantes. Chaque lundi de Pâques, les fidèles vont en pèlerinage vers la chapelle-ermitage Notre-Dame-de-Vie, blottie dans les falaises de marbre rouge au-dessus de Villefranche.

À LA DÉCOUVERTE DE VILLEFRANCHE-DE-CONFLENT

Villefranche-de-Conflent est traversé par deux longues rues parallèles, la rue Saint-Jacques et la rue Saint-Jean. Dans la première sont situés l'église, la mairie et le musée Plan-Relief ; dans la seconde, vous trouverez la tour de la Viguerie, l'hôpital-hospice qui accueillait les pèlerins sur la route de Compostelle et l'actuelle entrée des remparts. À Pâques se tient la foire des Fleurs et des Gourmandises catalanes et à la Saint-Luc, le 18 octobre, une foire vieille de sept siècles qui propose un panorama des produits du terroir et du savoir-faire des artisans locaux. En 2008, avec d'autres sites français, le triptyque villefranchois (cité, fort Libéria, cova Bastera) de Vauban a été classé au Patrimoine mondial de l'UNESCO.

Le train jaune

Destiné à désenclaver la Cerdagne, le train jaune – la couleur de ses wagons – est inauguré en 1910. La ligne compte 63 km, que l'on parcourt en une petite heure. De Villefranche à Latour-de-Carol en passant par Font-Romeu, le tortillard, devenu la principale attraction touristique de la région, traverse de magnifiques paysages parsemés de petits villages et de ruines majestueuses. Tunnels, viaducs, ponts suspendus sont autant d'ouvrages d'art qui permettent de franchir les étroits défilés et les profonds vallons où bondissent des torrents. Les amoureux du petit train rêvent de le voir classé au Patrimoine mondial de l'humanité.

Ci-dessous : la gastronomie catalane est justement réputée pour sa charcuterie et ses boudins. Pois chiches à la catalane, boules de picoulat ou calmars farcis se dégustent accompagnés d'un bon vin du Roussillon.

Village pratique

Habitants : Les Villefranchois.
Informations touristiques :
Office de tourisme, place de l'Église
66500 Villefranche-de-Conflent.
Tél. : 04 68 96 22 96.
Bureau des Remparts : 04 68 96 16 40.

Comment s'y rendre ?
• Depuis Perpignan, par la N 116 en direction de Prades.
• Gare SNCF pour Perpignan et train de Cerdagne.
• Aéroport de Béziers.

Que rapporter ?
• Du touron et de la crème catalane.
• La fuet, fine saucisse.
• De l'artisanat local.
• Passer à la boutique du Champignon, consacrée au bolet, dans le bastion du Dauphin.

Que voir dans les environs ?
• Le fort Libéria.
• L'abbaye de Saint-Michel-de-Cuxa, église romane, cloître.
• Le village de Corneilla-de-Conflent.
• Eus, cité fortifiée.
• Le château de Prades (XIIIᵉ siècle).

Autour du village

INDEX PAR DÉPARTEMENT

Table des matières

CRÉDITS ICONOGRAPHIQUES :